ЛУЧШЕЕ
ИЗ ЛУЧШЕГО
КНИГИ
ЛАУРЕАТОВ
МИРОВЫХ
ЛИТЕРАТУРНЫХ
ПРЕМИЙ

Читайте в серии

Дж. М. Кутзее
Детство Иисуса
Дж. М. Кутзее
Сцены из провинциальной жизни
Дж. М. Кутзее
Медленный человек
Дж. М. Кутзее
Школьные дни Иисуса
Дж. М. Кутзее
Осень в Петербурге
Дж. М. Кутзее
Элизабет Костелло
Р. Флэнаган
Узкая дорога на дальний север
Р. Флэнаган
Смерть речного лоцмана
Р. Флэнаган
Желание
Р. Флэнаган
Неизвестный террорист
Т. Моррисон
Возлюбленная
Т. Моррисон
Боже, храни мое дитя
Т. Моррисон
Любовь
Т. Моррисон
Песнь Соломона
Д. Лессинг
Марта Квест
М. Этвуд
Слепой убийца
Б. Дилан
Хроники
Б. Дилан
Тарантул
Т. Т. Энг
Сад вечерних туманов
И. Макьюэн
В скорлупе
И. Макьюэн
Цементный сад
П. Бейти
Продажная тварь
П. Фицджеральд
Книжная лавка
П. Фицджеральд
В открытом море

Дж. М.

Кутзее

Элизабет Костелло

Москва
2019

УДК 821.111-31(680)
ББК 84(6Южн)-44
К95

J. M. Coetzee

ELISABETH COSTELLO: EIGHT LESSONS

Перевод с английского *Г. Крылова*
Разработка серии — *К. А. Терина*
Дизайн переплета — *А. Г. Сауков*

Иллюстрации на суперобложке, переплете и форзацах — *В. Коробейников*
В коллаже на обложке.форзацах и суперобложке использованы иллюстрации:
Liudmila Veledynska, gigi rosa, freesoulproduction, Karjalas, Guenter Albers / Shutterstock.com
Используется по лицензии от Shutterstock.com

Кутзее, Дж. М.

К95 Элизабет Костелло / Дж. М. Кутзее ; [пер. с англ. Г. Крылова]. — Москва : Эксмо, 2019. — 320 с. — (Лучшее из лучшего. Книги лауреатов мировых литературных премий).

ISBN 978-5-04-093414-0

«Элизабет Костелло» — это манифест честности. История жизни экстраординарной австралийской писательницы, которой никогда не существовало. Признанный гений, она ведет дискуссии о литературе и искусстве, славе и богатстве, ревности и сексе. Порой она бывает страшно непристойной, но никогда — на сто процентов честной. Правда, наедине с собой Элизабет временами решается на смелый шаг: анализируя собственную жизнь, свои поступки, она становится судьей не только другим, но и самой себе. Она пытается найти ответ на самый важный вопрос: что же нужно человеку в этом мире и в чем его миссия?

УДК 821.111-31(680)
ББК 84(6Южн)-44

ISBN 978-5-04-093414-0

Урок 1
РЕАЛИЗМ

Прежде всего возникает проблема начала, а именно, как доставить нас оттуда, где мы находимся — а это пока что нигде, — на противоположный берег. Это простая проблема мостостроения, проблема сколачивания моста. Люди решают такие проблемы ежедневно. Они их решают, а решив, двигаются дальше.

Допустим, что, как бы это ни было сделано, оно сделано. Давайте допустим, что мост построен и пересечен, что мы можем выкинуть эту заботу из головы. Территория, на которой мы находились, осталась позади. Мы на дальней территории, где и хотим находиться.

Элизабет Костелло — писатель, родилась в 1928 году, значит, ей шестьдесят шесть лет, идет шестьдесят седьмой. Она написала девять романов, две книги стихов, книгу о жизни птиц и кучу статей. По рождению она австралийка. Родилась в Мельбурне, где она и живет до сих пор, хотя годы с 1951 по 1963-й провела за границей — в Англии и Франции. Два раза была замужем. У нее двое детей — по одному от каждого брака.

Имя себе Костелло сделала своим четвертым романом — «Дом на Экклс-стрит» (1969), главная героиня которого — Марион Блум, жена Леопольда Блума, главного героя другого романа — «Улисс» (1922) Джеймса Джойса[1]. За последнее десятилетие вокруг Элизабет выросла небольшая критическая индустрия; существует даже Общество Элизабет Костелло со штаб-квартирой в Альбукерке, штат Нью-Мексико, оно ежеквартально выпускает «Вестник Элизабет Костелло».

Весной 1995 года Элизабет Костелло отправилась в путешествие или отправляется в путешествие (начиная с этого момента — настоящее время) в Уильямстаун, штат Пенсильвания, в Алтон-колледж для получения Премии Стоу. Премия присуждается раз в два года крупнейшему писателю планеты, выбираемому жюри из критиков и писателей. Премия состоит из денежной части в 50 000 долларов, предоставляемой по завещанию фондом Стоу, и золотой медали. Это одна из крупнейших литературных премий в Соединенных Штатах.

В поездке в Пенсильванию Элизабет Костелло (Костелло — ее девичья фамилия) сопровождает ее сын Джон. Джон преподает физику и астрономию в колледже в Массачусетсе, но исходя из каких-то собственных соображений он взял годичный отпуск. Силы у Элизабет уже не те, что прежде, и без помощи сына она не смогла бы предпринять такое нелегкое путешествие на другой конец света.

Здесь мы делаем пропуск. Они добрались до Уильямстауна, где их проводили в отель, на удивление большое здание для маленького города — высокий шестиугольник, снаружи темный мра-

---

[1] Джеймс Джойс поселил героев «Улисса», чету Блум, в реально существующий дом № 7 на Экклс-стрит в центре Дублина. — Здесь и далее примечания переводчика.

мор, а внутри стекло и зеркала. В номере Элизабет происходит диалог.

— Тебе здесь будет удобно? — спрашивает сын.

— Не сомневаюсь, — отвечает она.

Номер находится на двенадцатом этаже, из окна открывается вид на площадку для игры в гольф, а за ним — на поросшие лесом холмы.

— Тогда почему бы тебе не отдохнуть? За нами приедут в шесть тридцать. Я тебе за несколько минут до начала позвоню.

Он собирается уходить. Она говорит:

— Джон, чего именно они от меня хотят?

— Сегодня вечером? Ничего. Сегодня только обед с членами жюри. Мы не позволим ему затянуться допоздна. Я им напомню, что ты устала.

— А завтра?

— Завтра — другая история. И, боюсь, к завтрашнему дню тебе придется набраться сил.

— Я забыла, почему я согласилась приехать. Похоже, я подвергла себя серьезному испытанию, а для чего — бог знает. Нужно было попросить их обойтись без церемонии, а просто отправить чек почтой.

После долгого перелета она выглядит на свои годы. Она никогда не заботилась о собственной внешности, она пользовалась успехом такой, какая она есть. Теперь не то. Она старая и усталая.

— Боюсь, так это не работает, ма. Если ты принимаешь деньги, то должна принять и шоу.

Она качает головой. На ней все еще старый синий дождевик, который она надела в аэропорту. Волосы ее сальные, безжизненные. Она не проявила ни малейшего желания распаковать вещи. Если он оставит ее сейчас, что она станет делать? Ляжет в плаще и туфлях?

Он приехал сюда с ней, потому что любит ее. Он не может себе представить, как она пройдет это испытание, если его не будет рядом. Он с ней, потому что он — ее сын, ее любящий сын. Но еще он вот-вот должен стать — какое отвратительное слово — ее коучем.

Он думает о ней как о тюленихе, старой, усталой цирковой тюленихе. Еще раз ей придется забраться в лохань, еще раз продемонстрировать, что она умеет держать мяч на носу. А он должен льстить ей, подбадривать, помогать ей пройти через это представление.

— Иначе они не согласны, — говорит он как можно мягче. — Они восхищаются тобой, хотят оказать тебе почести. И ничего лучшего для этого они не придумали. Дать тебе деньги, рекламировать твое имя. С помощью второго делать первое.

Она стоит перед письменным столом в стиле ампир, перебирает рекламные проспекты, которые сообщают ей, где делать покупки, где есть, как пользоваться телефоном, она кидает на сына мимолетный иронический взгляд, который все еще может удивлять его, напоминать ему о том, кто она.

— Ничего лучше не придумали? — бормочет она.

В шесть тридцать он стучит в ее дверь. Она собралась, ждет, полна сомнений, но готова встретить врага лицом к лицу. На ней синий костюм и шелковый жакет — униформа женщины-романиста, белые туфли, в которых нет ничего плохого, только она в них становится похожей на Дейзи Дак[1]. Она вымыла волосы, зачесала их назад. У них все еще сальный вид, но благородно саль-

---

[1] *Дейзи Дак* — утка, мультипликационный персонаж, созданный в 1940 году Диком Ландли.

ный, как у землекопа или механика. На ее лице уже пассивное выражение, если бы такое выражение появилось на лице молодой девушки, сказали бы, что она «ушла в себя». Лицо без личности, над такими лицами фотографам приходится поработать, чтобы они отличались одно от другого. Как у Китса, думает он, величайшего сторонника отрешенной восприимчивости[1].

Синий костюм, сальные волосы — это детали, знаки умеренного реализма. Показывай детали, значение проявится само собой. Этот метод ввел в обращение Даниэль Дефо. Выброшенный на берег Робинзон Крузо оглядывается в поисках кого-нибудь из членов экипажа. Но никого не видит. «Увы, никого из них я больше не видел; от них и следов не осталось, — говорит он, — кроме трех принадлежавших им колпаков, одной шапки да двух непарных башмаков, выброшенных морем на сушу». Два башмака: оказавшись непарными, башмаки перестали быть обувью, стали доказательствами смерти, сорванными бурлящим морем с ног тонущих и выброшенными на берег. Ни сильных слов, ни отчаяния — только шапки, колпаки и обувь.

Сколько он себя помнил, его мать уединялась по утрам — работала. Ни при каких обстоятельствах никто не должен был беспокоить ее. Он считал себя несчастным ребенком, одиноким и нелюбимым. Когда им с сестрой становилось особенно

---

[1] У Кутзее сложное отношение к Китсу, если в молодости он старался быть его подражателем, то в его романе «Сцены из провинциальной жизни» мы находим следующие строки: «Китс похож на арбуз, мягкий, сладкий и красный, тогда как поэзия должна быть жесткой и ясной, как пламя».

жалко себя, они садились у запертой двери и производили тихие жалобные звуки. Спустя какое-то время жалобные звуки сменялись гудением или пением, и им становилось лучше, они забывали о своей заброшенности.

Теперь сцена переменилась. Он вырос. Он уже не за дверью — он внутри, наблюдает: она сидит спиной к окну, смотрит недовольно — день за днем, год за годом, ее волосы из черных медленно превращаются в седые, — на пустую страницу. Какое же упрямство, думает он! Она, несомненно, заслуживает за это медаль, медаль за это и многое другое. За доблесть превыше той, что требует долг.

Перемены наступили, когда ему стукнуло тридцать три. До того времени он не прочитал ни слова из того, что написала мать. Таким был его ответ ей, его месть за то, что запиралась от него. Она отказывала ему, а потому он отказывал ей. А может быть, он отказывался читать ее, чтобы защитить себя. Возможно, в этом и состоял глубинный мотив: отвратить удар молнии. А потом, в один прекрасный день, он, не говоря никому ни слова, взял в библиотеке одну из ее книг. После этого он стал читать все, читал открыто, в поезде, за столом во время ланча. «Ты что читаешь?» — «Одну из книг матери».

Он узнает себя в ее книгах. Или в некоторых из них. Он узнает и кое-кого из других; и, вероятно, есть и много таких, кого он не узнает. Она пишет о сексе, о страсти, ревности и зависти с таким прозрением, что это потрясает его. Это, безусловно, непотребство.

Он шокирован; предположительно, так же она воздействует и на других читателей. По большому счету, именно по этой причине она, предположительно, и существует. Какое странное вознаграждение за целую жизнь, посвященную тому, чтобы шокировать людей: быть приглашенной в этот городок в Пенсильвании и получить деньги! Потому что она ни в коем случае не писатель-утешитель. Она даже жестока на тот манер, на какой бывают жестокими женщины, а у мужчин редко хватает для этого мужества. Так что же она за существо такое? Не тюлениха — для этого она недостаточно дружелюбна. Но и не акула. Кошка. Одна из тех больших кошек, которые, потроша свою жертву, делают паузы, смотрят на тебя холодным желтым взглядом над ее распоротым брюхом.

Их внизу ждет женщина — та же самая молодая женщина, которая встречала их в аэропорту. Ее зовут Тереза. Она преподает в Алтон-колледже, но в том, что касается Премии Стоу, — она порученец, девочка на побегушках, а в более широком смысле — незначительная фигура.

Он садится на пассажирское место рядом с Терезой, его мать — сзади. Тереза возбуждена, настолько возбуждена, что болтает без умолку. Она рассказывает им о городке, по которому они едут, об Алтон-колледже и его истории, о ресторане, в который они направляются. Посреди своего рассказа она умудряется ввернуть и два крохотных вопросика от себя. «К нам сюда прошлой осенью приезжала А. С. Байетт[1], — говорит

---

[1] *Антония Байетт* (Антония Сьюзен Байетт, род. 1936) — английская писательница. Автор более двух десятков книг, обладатель множества почетных ученых степеней.

она. — Что вы думаете об А. С. Байетт, миз[1] Костелло?» И чуть позднее: «Что вы думаете о Дорис Лессинг[2], миз Костелло?» Тереза пишет книгу о женщинах-писателях и политиках; летом она всегда в Лондоне, проводит то, что называет исследованиями. Джон не удивится, если у нее в машине работает диктофон.

У его матери есть словечко для таких людей. Она называет их золотыми рыбками. Их считают маленькими и безобидными, говорит она, потому что каждой нужен только крохотный кусочек плоти, минимикромиллиграммчик. Она через своего издателя каждую неделю получает письма от них. Прежде она отвечала: спасибо вам за ваш интерес, к сожалению, я слишком занята, чтобы ответить в той мере, в какой этого заслуживает ваше письмо. Потом один ее друг сказал ей, сколько стоят эти ее письма на рынке автографов. После этого она перестала отвечать.

Эти золотые крохи кружат вокруг умирающего кита, только и ждут, когда им представится возможность оторвать себе кусочек.

Они приезжают в ресторан. Накрапывает дождь. Тереза высаживает их у дверей, а сама уезжает припарковать машину. На несколько секунд они остаются вдвоем на тротуаре.

— Мы все еще можем отказаться, — говорит он. — Еще не поздно. Заказать такси, заехать в отель, забрать наши вещи. В половине девятого

---

[1] Принятое из соображений политкорректности обращение к женщине: замена двух слов — «мисс» и «миссис».

[2] *Дорис Мэй Лессинг* (1919–2013) — английская писательница, лауреат Нобелевской премии по литературе 2007 года.

мы будем в аэропорту и улетим первым рейсом. Мы исчезнем со сцены ко времени появления Канадской конной полиции.

Он улыбается. Она улыбается. Они выдержат всю программу — это ясно без слов. Но хотя бы потешить себя идеей бегства доставляет удовольствие. Шутки, тайны, заговоры; косой взгляд, словечко, сказанное кстати, — это их быть вместе, будучи порознь. Он будет ее оруженосцем, она будет его рыцарем. Он будет защищать ее, пока хватит сил. А потом он поможет ей облачиться в латы, посадит на жеребца, наденет круглый щит на ее руку, даст копье и отойдет в сторону.

Сцену в ресторане, это в основном диалог, мы пропускаем. Мы возвращаемся в отель, где Элизабет Костелло просит сына просмотреть список людей, с которыми они только что познакомились. Он подчиняется, называет каждого, его официальные обязанности по жизни. Принимающую сторону возглавляет Уильям Бротегам, декан факультета искусств в Алтон-колледже. Председатель жюри — Гордон Уитли, канадец, профессор университета Макгилла, который писал о канадской литературе и об Уилсоне Харрисе. Та, которую называют Тони (Тони говорила с ней о Генри Ханделе Ричардсоне), — из Алтон-колледжа. Специалист по Австралии и преподавала там. Полу Сакс она знает. Лысый мужчина — Керриган, романист, ирландец по рождению, живет в Нью-Йорке. Фамилия пятого члена жюри — Мёбиус. Она преподает в Калифорнии и издает журнал. Она тоже автор нескольких рассказов.

— У тебя с ней состоялся ничего такой тет-а-тет, — говорит ему мать. — Она хорошенькая, да?

— Вероятно.

Она задумывается.

— Но все вместе они не показались тебе довольно...

— Довольно легковесными? — Она кивает. — Да, они легковесны. Тяжеловесы не участвуют в шоу такого рода. Тяжеловесы решают тяжелые проблемы.

— Я для них недостаточно тяжеловесна?

— Нет-нет, ты вполне себе тяжеловесна. Твой минус в том, что ты — не проблема. Твое творчество еще не было представлено как проблемное. А когда ты предложишь себя как проблему, тебя пригласят в их суд. Но пока ты не проблема, а всего лишь пример.

— Пример чего?

— Пример писательства. Пример того, как пишут люди твоего положения, твоего поколения и твоего происхождения. Некий образчик.

— Образчик? Мне позволяется выступить со словом возражения? После всех усилий, затраченных мною на то, чтобы не писать, как все другие?

— Мама, не имеет смысла дискутировать на эту тему со мной. Я не отвечаю за то, как тебя видит научное сообщество. Но ты, хочешь не хочешь, должна согласиться с тем, что на определенном уровне мы говорим, а следовательно, и пишем, как и все остальные. Иначе мы бы все говорили и писали на своих частных языках. Не так уж нелепо заниматься тем, что у людей есть общего, а не тем, что их разделяет, разве нет?

На следующее утро Джон оказывается втянутым в другую литературную дискуссию. В спортзале отеля он сталкивается с Гордоном Уитли, председателем жюри. Крутя педали стоящих друг подле друга велосипедных тренажеров, они ведут громкий разговор. Он кричит Уитли — не так уж и серьезно, — что его мать будет разочарована, если узнает, что Премию Стоу ей присудили лишь по причине объявления 1995 года годом Австралии.

— А как она себе это представляет? — кричит ему в ответ Уитли.

— Она представляет себе, что получает эту премию как лучшая, — отвечает он. — По честному мнению вашего жюри. Не как лучшая в Австралии, не как лучшая австралийская женщина, просто как лучшая.

— Без бесконечности у нас не было бы математики, — говорит Уитли. — Но это не означает, что бесконечность существует. Бесконечность — всего лишь концепция, изобретение человеческого разума. Мы, конечно, убеждены, что Элизабет Костелло — лучшая. Просто мы должны отдавать себе отчет в том, что означает такое заявление в контексте нашего времени.

Аналогия с бесконечностью для Джона лишена смысла, но он не ввязывается в дискуссию. Он надеется, что Уитли пишет лучше, чем думает.

Реализму никогда не было комфортно с идеями. Да иначе и быть не могло: реализм исходит из идеи, что идеи не существуют независимо, что они могут существовать только в вещах. А потому, когда реализму нужно поговорить об идеях, как в данном случае, он вынужден изобретать ситуации — прогулки за городом, разговоры, — в которых персонажи озвучивают конкурирующие идеи, и, таким образом, в известном смысле облекают их в некую форму. Представление об *облечении в форму* имеет критически важное значение. В таких дискуссиях идеям вовсе не обязательно парить свободно, они привязаны к тем, кто их провозглашает, и генерируются матрицей индивидуальных интересов, из которых их глашатаи действуют в этом мире; например, из желания сына, чтобы к его матери не относились как к третьеразрядному автору постколониального периода, или из желания Уитли не казаться старомодным деспотом.

В одиннадцать Джон стучит в дверь матери. Ей предстоит нелегкий день: интервью, выступление на радиостанции колледжа, а потом, вечером, церемония презентации и непременно прилагающаяся к ней речь.

Ее стратегия с интервьюерами сводится к тому, чтобы самой вести разговор, выдавать им ответы, повторявшиеся столь часто, что он удивляется, почему они еще не окаменели в ее мозгу до состояния неоспоримой истины. Длинное описание детства на окраине Мельбурна (визги какаду в дальнем углу сада) с короткой вставкой о той угрозе, которую таит в себе представление о якобы безмятежном существовании среднего класса. Длинное описание смерти ее отца от кишечной инфекции в Малайе с упоминанием матери, где-то на заднем плане наигрывающей на рояле вальсы Шопена, а за этим — отступление в виде философствований о влиянии музыки на ее прозу. Рассказ о чтении в юности (жадном, неразборчивом), потом прыжок к Вирджинии Вулф, которую она впервые прочла студенткой, и о воздействии Вулф на нее. Воспоминания о времени в школе изящных искусств, еще один — о полутора годах в послевоенном Кембридже («Главным образом запомнилась постоянная забота о том, чтобы согреться»), еще один — о годах, проведенных в Лондоне («Я, наверное, могла бы зарабатывать себе на жизнь переводами, но моим основным языком был немецкий, а немецкий в те времена, как вы догадываетесь, не пользовался особой популярностью»). Ее первый роман, достоинства которого она скромно принижает; хотя, будучи первым романом, он был вне всякой конкуренции, потом ее годы во Франции («головокружительные времена») с несколькими словами о ее первом браке. Потом возвращение в Австралию с маленьким сыном. С ним.

В целом, думает он, слушая вполне квалифицированное — если это слово еще употребительно — представление, на которое уходит бóльшая часть часа, остаются лишь считаные минуты, чтобы увильнуть от вопросов, которые начинаются со слов «что вы думаете о?..». Что она думает о неолиберализме, о женском вопросе, о правах аборигенов, об австралийском романе сегодня? Джон прожил рядом с ней почти сорок лет, с редкими отъездами, но до сих пор не знает толком, что она думает о сущностных проблемах. Не знает толком и в целом благодарен за то, что она не навязывает ему своего мнения об этом. Потому что, полагает он, ее мысли оказались бы такими же неинтересными, как и мысли большинства людей. Она писатель, а не мыслитель. Писатели и мыслители: мел и сыр. Нет, не мел и сыр, а рыба и птица. Но кто она — рыба или птица? Что ее среда обитания — вода или воздух?

Утренняя интервьюерша, которая ради этого интервью прилетела из Бостона, молодая, а его мать обычно снисходительно относится к молодости. Но эта — толстокожая, и от нее так просто не отделаться.

— Так в чем, вы говорите, ваше послание миру? — настаивает она.

— Мое послание миру? Разве я должна нести какое-то послание?

Не самое сильное возражение, интервьюерша пытается дожать:

— В «Доме на Экклс-стрит» ваша героиня Марион Блум отказывается иметь секс с мужем, пока он не решит для себя, кто он есть. Не хотите ли вы этим сказать, что женщины должны держаться от мужчин подальше, пока они не определят это для себя и не обретут некую новую постпатриархальную идентичность?

Мать косит на него глаз. «Помоги!» — вот что это означает на шутовской манер.

— Интригующая мысль, — бормочет она. — Конечно, в случае с мужем Марион в требовании, чтобы муж обзавелся новой идентичностью, содержалась бы особая жестокость, поскольку он человек — как бы это сказать? — неустойчивой идентичности, человек со многими лицами.

«Экклс-стрит» — великий роман, он, возможно, проживет столько же, сколько «Улисс», и наверняка его будут читать еще долго после того, как его создательница ляжет в могилу. Джон был совсем ребенком, когда его мать работала над «Экклс-стрит». Его приводит в беспокойство и в восторженное состояние мысль о том, что та же личность, которая родила «Экклс-стрит», родила и его. Пора вмешаться, спасти ее от вопросов, а то это начинает напоминать инквизицию. Он встает.

— Мама, к сожалению, нам на этом придется закончить, — говорит он. — Нас ждут на радио. — И интервьюерше: — Большое спасибо, но здесь мы вынуждены поставить точку.

Интервьюерша недовольно надувает губки. Найдет ли она место для него в своей истории: романистка на закате своих дней и ее нахальный сыночек?

На радиостанции они расстаются. Его проводят в режиссерскую. Новый интервьюер, с удивлением обнаруживает он, — элегантная Мёбиус, рядом с которой он сидел за обедом.

— В студии Сьюзен Мёбиус, это программа «Писатели за работой», и сегодня мы беседуем с Элизабет Костелло, — начинает она, после чего коротко представляет гостью. — Ваш последний роман, — продолжает она, — называется «Пламень и лед», и его действие происходит в Австралии в 1930-е годы, это история молодого человека, который пытается сделать карьеру художника, хотя ему противостоят на этом пути семья и общество. Вы имели в виду кого-то конкретного, когда писали роман? Он основан на ваших личных впечатлениях в начальный период жизни?

— Нет, в тридцатые годы я была еще ребенком. Конечно, мы многое основываем на наших личных впечатлениях — они наш основной источник, а в некотором роде и единственный. Но нет, «Пламень и лед» не автобиография. Это плод воображения. Я его сочинила.

— Это сильная книга, должна я сказать нашим слушателям. Но легко ли вам писать от лица мужчины?

Вопрос рутинный, он открывает дверь в одну из ожидаемых заготовок. Но, к удивлению Джона, она не пользуется этой дверью.

— Легко ли? Нет. Было бы легко, не стоило бы и писать. Вызов состоит именно в инаковости. В создании кого-то, кто не похож на тебя. В создании мира, в котором этот кто-то живет. В создании Австралии.

— Это то, что вы делаете в ваших книгах, да? Создаете Австралию?

— Да, думаю, создаю. Но сегодня это не так-то просто. Сопротивление усиливается, на вас давит груз всех тех Австралий, что созданы множеством других людей. Это то, что мы имеем в виду, когда говорим о традиции, о началах традиции.

— Я бы хотела перейти к «Дому на Экклс-стрит», книге, по которой вы наиболее известны в нашей стране, новаторской книге, и к фигуре Молли Блум. Критики в основном сосредоточились на том, как вы снова и снова пытались отнять у Джойса его Молли и сделать ее своей собственностью. Не могли бы вы объяснить, что вы хотели сказать вашей книгой, в особенности когда бросали вызов Джойсу, одному из столпов современной литературы, на его же территории.

Еще одна очевидная дверь, и на сей раз она ее открывает.

— Да, она пленительная личность, правда? Я имею в виду Молли Блум Джойса. Она оставляет следы на страницах «Улисса», как сука в течку повсюду оставляет свой запах. Соблазнительным это не назовешь, тут кое-что попримитивнее. Мужчины чуют запах, вдыхают его, ходят кругами и рычат друг на друга, даже когда Молли нет поблизости.

Нет, я не думаю, что бросила вызов Джойсу. Просто некоторые книги настолько буйно изобретательны, что в конце остается много неиспользованного материала, который чуть ли не сам идет тебе в руки, чтобы ты построила на нем что-нибудь свое собственное.

— Простите меня, Элизабет Костелло, но вы вытащили Молли из дома — если вы позволите мне продолжить вашу метафору, — вытащили ее из дома на Экклс-стрит, куда ее поместили ее муж, ее любовник и в известном смысле ее автор, где ее превратили в некое подобие пчелиной матки, не умеющей летать, и выпустили на улицы Дублина. Разве с вашей стороны это не вызов Джойсу, не реакция на его роман?

— Пчелиная матка, сука... Давайте посмотрим на нее с другой стороны и назовем лучше львицей, крадущейся по улицам, принюхивающейся, приглядывающейся. Пусть даже — подыскивающей жертву. Да, я хотела освободить ее из этого дома, а в особенности из этой спальни с ее кроватью со скрипучими пружинами, и выпустила — как вы говорите — в Дублин.

— Если вы видите Молли — Молли Джойса — пленницей дома на Экклс-стрит, то не видите ли вы женщин вообще пленницами брака и семейного очага?

— Сегодня нельзя говорить о женщинах вообще. Но да, в некоторой степени Молли — пленница брака, того брака, который имелся на рынке Ирландии в 1904 году. Ее муж Леопольд тоже пленник. Если она заперта в супружеском доме, то он заперт вне его. Таким образом, у нас есть Одиссей, который пытается войти внутрь, и Пенелопа, которая пытается выйти наружу. Это комедия, комический миф, которому Джойс и я, каждый посвоему, отдали должное.

Поскольку на обеих женщинах наушники, и они скорее обращаются к микрофону, чем друг к дружке, Джон не может рассмотреть, ладят ли они между собой. Но он, как всегда, находится под впечатлением той личности, которую умудряется создавать его мать: радушный здравый смысл, всякое отсутствие злых умыслов, но при этом и острота ума.

— Я хочу вам сказать, — продолжает интервьюер (холодный голос, думает он: холодная женщина, способная, ничуть не легковесная), — какое впечатление «Дом на Экклс-стрит» произвел на меня, когда я впервые прочла его в семидесятые годы. Я была студенткой, изучала книгу Джойса. Я зачитала до дыр знаменитую главу про Молли Блум и знала всю ортодоксальную критику, которую она породила, а именно, что здесь Джойс дал возможность высказаться подлинному женскому голосу, выпустил на свободу чувственность женщины, какая она есть, и так далее. А потом я прочла вашу книгу и поняла, что Молли не обязана оставаться в рамках, которыми ограничил ее Джойс, что она вполне может быть умной женщиной, которая интересуется музыкой и имеет собственный кружок друзей и дочь-наперсницу. Я бы сказала, что для меня это было откровением. И я начала размышлять о других женщинах, голосами которых, как мы думаем, говорили писатели-мужчины во имя их освобождения, но на самом деле лишь для продвижения и служения мужской философии. А конкретнее, я имею в виду женщин

Дэвида Лоуренса, а если продвинуться еще назад во времени — то Тэсс из рода д'Эрбервиллей[1] и Анну Каренину, и это только два имени. Вопрос огромный, но я подумала, может, вы скажете по этому поводу что-нибудь, не о Марион Блум и других, а о проекте по возвращению жизни женщин — женщинам.

— Нет, я не думаю, что хотела бы высказываться на этот счет, я думаю, вы довольно полно выразили суть дела. Конечно, если уж по справедливости, то тогда мужчинам придется потребовать вернуть им Хитклифов и Рочестеров, потребовать очищения Хитклифов и Рочестеров от романтической пошлости, я уж не говорю о бедном старом пыльном Казобоне[2]. Представление получится грандиозное. Но если серьезно, мы не можем

---

[1] *Дэвид Герберт Лоуренс* (1885–1930) — один из виднейших английских писателей начала XX века. В романах «Сыновья и любовники» (1913), «Радуга» (1915), «Влюбленные женщины» (1920) изображены женщины, открытые «темным богам», в том числе и сексуальности. У романов Лоуренса была нелегкая издательская судьба в Англии, они подвергались цензуре и выходили на родине писателя спустя несколько лет после их создания. «Тэсс из рода д'Эрбервиллей: чистая женщина, правдиво изображенная» — роман Томаса Харди, впервые опубликованный в 1891 году. Изначально появился в форме, подвергшейся сильной цензуре, и шокировал своей откровенностью читателей Викторианской эпохи.

[2] *Хитклифф* — главный персонаж романа Эмили Бронте (1818–1848) «Грозовой перевал». *Рочестер* — Эдвард Фейрфакс Рочестер — персонаж романа Шарлотты Бронте (1816–1855) «Джейн Эйр». *Казобон* — Эдвард Казобон — персонаж романа Джорджа Элиота (настоящее имя Мэри Энн Эванс 1819–1880), ее общепризнанного шедевра «Миддлмарч». Здесь речь идет о «востребовании» писателями-женщинами образов героинь из романов, написанных писателями-мужчинами, и наоборот.

вечно паразитировать на классике. Пора начать изобретать что-нибудь собственное.

Это и вовсе не по сценарию. Еще одно отклонение. И куда оно приведет? Но, увы, Мёбиус (которая сейчас поглядывает на часы в студии) оставляет эту тему.

— В ваших последних романах вы вернулись в обстановку Австралии. Не могли бы вы сказать что-нибудь о том, как вы видите Австралию? Что для вас означает быть австралийским писателем? Австралия — страна, которая остается очень далекой, по крайней мере для американцев. В процессе работы вы не думаете о том, что пишете из страны на краю света?

— На краю света. Интересное выражение. Вряд ли вы найдете сегодня много австралийцев, которые согласятся с этим. Земля круглая — где у нее край? — так они ответят вам. Тем не менее определенный смысл в этих словах есть, даже если этот смысл навязан нам историей. Мы не страна крайностей — я бы сказала, мы довольно миролюбивы, — но мы страна на краю. Мы выжили в этих условиях, потому что ни с какого края не встречали особого сопротивления. Если начнешь падать, то остановить тебя практически нечему.

Они вернулись к банальностям, на знакомую почву. Теперь он может перестать слушать.

Мы опускаем все, что произошло до вечера, когда имело место главное событие: презентация премии. Будучи сыном и спутником выступающей, он оказывается в первом ряду публики, среди специальных гостей. Женщина слева от него представляется.

— Наша дочь учится в Алтоне, — говорит она. — Она пишет курсовую работу о вашей матери. Обожает ее. Заставила нас прочесть все ее книги. — Она похлопывает сидящего рядом с ней мужчину по тыльной стороне кисти. Весь их вид свидетельствует о деньгах, о старых деньгах. Наверняка благотворители. — Ваша мать в большом почете в нашей стране. В особенности ею восхищаются молодые люди. Надеюсь, вы ей это скажете.

По всей Америке молодые женщины пишут диссертации о его матери. Почитатели, приверженцы, ученики. Будет ли его матери приятно узнать, что у нее в Америке есть ученики?

Мы опускаем и саму сцену презентации. Слишком часто прерывать повествование плохо, поскольку рассказывание историй основывается на убаюкивании читателя или слушателя, погружении его в состояние, подобное сну, в котором исчезают время и пространство реального мира, вытесняются временем и пространством вымысла. А при выведении из сна внимание читателя привлекается к конструкции вашей истории и разрушает созданную автором-реалистом иллюзию. Однако, если не опускать определенных сцен, нам придется провести здесь весь вечер. Пропуски не являются частью текста, они — часть представления.

После вручения премии мать оставляют на трибуне одну для произнесения благодарственной речи, названной в программке «Что такое реализм?». Теперь она должна показать себя во всей красе.

Элизабет Костелло надевает очки для чтения.

— Леди и джентльмены, — говорит она и начинает читать:

— Я опубликовала свою первую книгу в 1955 году, когда жила в Лондоне, который в то время был великой культурной метрополией для нас, которые ходят вверх ногами. Я ясно помню день, когда получила по почте пакет, сигнальный авторский экземпляр. Я пришла в трепет, взяв книгу в руки — напечатанную, переплетенную, это было нечто настоящее, неопровержимое. Но что-то грызло меня. Я позвонила моим издателям. «Обязательные экземпляры уже разосланы?» — спросила я. Я не успокоилась, пока меня не заверили, что обязательные экземпляры будут сегодня же отправлены в Шотландию, в Бодлианскую библиотеку — во все места, в какие полагается, но самое главное — в Британский музей. То была моя великая мечта: иметь собственное местечко на полках Британского музея, стоять плечом к плечу с другими на букву «К» — Карлайлом, Кольриджем, Конрадом. (Но шутка в том, что ближайшим моим литературным соседом оказалась Мария Корелли[1].)

Такому простодушию можно только улыбнуться. Но за моим взволнованным обращением стояло кое-что серьезное, а за серьезностью в свой черед — нечто низкосортное, признаться в чем не так уж и легко.

Позвольте мне объяснить. Пусть большинство экземпляров написанных вами книг исчезнет без следа (какие-то отправятся в переработку, потому что никто их не купил, какие-то откроют, а по-

---

[1] *Мария Корелли* (1855–1924) — популярная английская писательница, ее проза насыщена теософскими понятиями: гипнозом, переселением душ, астральными телами. Романы Корелли пришлись по вкусу огромному количеству непритязательных читателей.

сле страницы-другой закроют с зевком, чтобы уже не открывать никогда, какие-то забудут в приморском отеле или в поезде), пусть большинство экземпляров вашей книги сгинет, но мы должны верить, что по крайней мере один экземпляр будет не только прочитан — о нем позаботятся, ему дадут дом, место на полке, которое сохранится за ним навечно. За моей тревогой об обязательных экземплярах стояло желание, стояла потребность знать, что, даже если меня завтра собьет автобус, этот мой первенец будет иметь дом, в котором он сможет вздремнуть — если так распорядится судьба — на следующие сто лет, и никто не придет с палкой потыкать в него: жив ли еще.

Это была одна из причин, заставивших меня позвонить: если я, эта смертная оболочка, умру, то позвольте мне хотя бы жить посредством моих творений.

Элизабет Костелло и дальше размышляет о мимолетности славы. Мы продолжаем, делая пропуск.

— Но, конечно, Британский музей или (теперь) Британская библиотека тоже не вечны. Они тоже превратятся в руины и сгниют, а книги на их полках обратятся в прах. И в любом случае задолго до этого дня, когда кислота сожрет бумагу, когда конкуренция за место на полке вырастет, уродливые, непрочитанные и никому не нужные книги будут переправлены в какое-нибудь другое место, а потом выкинуты в топку, и все следы их исчезнут из генерального каталога. И тогда получится, будто их вообще никогда не существовало.

Это альтернативное видение Вавилонской библиотеки для меня более тревожно, чем видение

Хорхе Луиса Борхеса[1]. Не библиотеки, в которой сосуществуют все книги прошлого, настоящего и будущего, а библиотеки, в которой отсутствуют книги, которые были задуманы, написаны и опубликованы, отсутствуют даже в памяти библиотекарей.

Такой была другая и более нелепая сторона моего телефонного звонка. На то, что Британская библиотека или Библиотека Конгресса спасет нас от забвения, мы можем рассчитывать не в большей мере, чем на свою репутацию. Об этом я должна напомнить себе и напомнить вам в этот важный для меня вечер в Алтон-колледже.

А теперь позвольте мне обратиться к моему предмету — «Что такое реализм?»

У Франца Кафки есть один рассказ — может быть, вы его знаете, — в котором обезьяна, одетая подобающе случаю, произносит речь перед научным сообществом[2]. Это речь, но в то же время и тест, экзамен, устная — оральная — проверка. Обезьяна должна продемонстрировать не только свое умение говорить на языке своей аудитории, но и то, что она переняла их манеры и условности, как подобает тому, кто хочет вступить в их сообщество.

Почему я напоминаю вам об этом рассказе Кафки? Собираюсь ли я делать вид, что я обезьяна, вырванная из моей естественной среды оби-

---

[1] *«Вавилонская библиотека»* — рассказ аргентинского писателя Хорхе Луиса Борхеса (1899–1986). Создан в 1941 году. Рассказ написан в обычной для Борхеса форме эссе-фикции, поэтому в нем повествования практически нет, лишь описание особой вселенской библиотеки, созданной воображением писателя.

[2] Имеется в виду рассказ Кафки «Отчет для Академии».

тания, вынужденная разыгрывать представление перед собранием критически настроенных чужаков? Надеюсь, нет. Я одна из вас, я не принадлежу к другому виду.

Если вы читали этот рассказ, то помните, что он написан в форме монолога, монолога обезьяны. Внутри такой формы ни для говорящего, ни для его аудитории не существует возможностей посмотреть на себя со стороны. Не исключено, что говорящий «на самом деле» и не обезьяна, может быть, он просто человеческое существо, введенное в заблуждение и потому считающее себя обезьяной. Или человеческое существо, с мощной энергией выставляющее себя в риторических целях обезьяной. С такой же степенью уверенности можно говорить, что аудитория состоит не из усатых-бородатых краснолицых джентльменов, которые сменили свои ветровки и пробковые шлемы на вечерние одеяния, а из таких же обезьян, обученных если не ораторствовать, как выступающий перед ними, то по крайней мере сидеть тихо и слушать, а если и это оказалось им не по силам, то их как минимум научили сидеть в цепях и не издавать бессмысленных звуков, не ловить блох и не отправлять нужду по первому желанию.

Мы не знаем. Мы не знаем и никогда не будем знать наверняка, что на самом деле происходит в этом рассказе: то ли он о том, что человек говорит с людьми, то ли о том, что обезьяна говорит с обезьянами, то ли о том, что обезьяна говорит с людьми, то ли о том, что человек говорит с обезьянами (хотя последнее мне кажется маловероятным), или даже о том, что попугай говорит с попугаями.

Прежде были времена, когда мы знали. Тогда мы верили, что если в тексте говорилось: «На столе стоял стакан с водой», то и на самом деле существовали стол и стакан воды на нем, и нам оставалось только посмотреть в словесное зеркало текста, чтобы их увидеть.

Но с этим покончено. Словесное зеркало разбито, и его, кажется, невозможно восстановить. Ваша догадка касательно того, что происходит в аудитории, ничуть не хуже моей: люди и люди, люди и обезьяны, обезьяны и люди, обезьяны и обезьяны. А сама аудитория, возможно, не что иное, как зоопарк. Слова более не будут подниматься со страницы, чтобы их заметили, и заявлять: «Я означаю то, что означаю!» Словарь, который прежде стоял рядом с Библией и работами Шекспира над камином, на такой же полке, на какой в благочестивых римских домах содержались боги, превратился всего лишь в одну из многих книг кодов.

Вот в какой ситуации я появляюсь перед вами. Надеюсь, что я не злоупотребляю предоставленной мне возможностью говорить с вами с этой трибуны, отпуская досужие нигилистические шутки о том, кто я — обезьяна или женщина, и о том, кто вы, мои слушатели. Суть рассказа не в этом, говорю я, хотя у меня нет ни малейшего права навязывать вам представление о том, в чем состоит суть рассказа. Прежде были времена, думаем мы, когда мы могли сказать, кто мы такие. Теперь мы лишь исполнители, произносящие текст нашей роли. Дно ушло из-под наших ног. Мы могли бы считать это трагическим поворотом событий, если бы не было так трудно испытывать уважение к тому, что было дном, ушедшим из-под наших ног, теперь оно кажется нам иллюзией, одной из тех иллюзий, которая сохраняется, пока на нее целеустремленно смотрят глаза всех присутствующих в зале. Отведите взгляд в сторону всего лишь на мгновение — и зеркало упадет на пол и разобьется.

Таким образом, у меня есть все основания более чем сомневаться в себе, когда я стою здесь перед вами. Невзирая на эту замечательную премию, за которую я глубоко признательна, невзирая на обещание, которое она дает и которое состоит в том, что в блестящем обществе тех, кто завоевал эту премию до меня, я более не подвластна завистливым объятиям времени, мы все, если мы смотрим на вещи трезво, знаем, что рано или поздно книги, которые вы цените и к появлению которых на свет я имела некоторое отношение, никто не будет читать и они, в конечном счете, будут забыты. Так оно и должно быть. Должно существовать некоторое ограничение бремени памяти, которое мы накладываем на наших детей и внуков. Они будут жить в своем собственном мире, и мы всё в меньшей мере должны быть его частью. Спасибо.

Аплодисменты начинаются неуверенно, потом звучат все громче. Его мать снимает очки, улыбается. Такая обворожительная улыбка: Элизабет, кажется, наслаждается мгновением. Актерам позволительно купаться в аплодисментах, заслуженных или не заслуженных, — актерам, певцам, скрипачам. Разве его мать не имеет оснований удостоиться собственного момента славы?

Аплодисменты стихают. Декан Бротегам наклоняется к микрофону.

— В фойе вас ожидают закуски...

— Прошу прощения! — Чистый, уверенный молодой голос обрывает декана.

В публике некоторое волнение. Головы поворачиваются на этот голос.

— В фойе вас ожидают закуски, а также выставка книг Элизабет Костелло. Прошу вас, присоединяйтесь к нам там. Мне остается только...

— Прошу прощения!

— Да?

— У меня вопрос.

Владелица голоса встает: молодая женщина в красно-белом свитере Алтон-колледжа. Бротегам явно сконфужен. А с лица матери сошла улыбка. Джону знакомо это ее выражение. С нее хватит — она хочет уйти.

— Я не уверен... — говорит Бротегам, он хмурится, оглядывается в поисках поддержки. — Наш сегодняшний формат не допускает вопросов. Я хочу поблагодарить...

— Извините! У меня вопрос к оратору. Могу я обратиться к оратору?

В зале воцаряется тишина. Все глаза устремлены на Элизабет Костелло. Она смотрит куда-то вдаль холодным взглядом.

Бротегам берет себя в руки.

— Я бы хотел поблагодарить миз Костелло, чествовать которую мы собрались сегодня. Прошу вас, присоединяйтесь к нам в фойе. Спасибо.

На этом он выключает микрофон.

Они покидают аудиторию, под гул разговоров. Происшествие, как ни крути. Он видит девушку в красно-белом свитере впереди в толпе. Она идет непреклонная и прямая. И, кажется, обозленная.

Какой вопрос она хотела задать? Не лучше ли было дать ей слово?

Он опасается, что сцена повторится в фойе. Но его опасения не оправдываются. Девушка ушла, исчезла в темноте, вероятно, выбежала вне себя от злости. Но происшествие оставляет неприятное послевкусие; что бы кто ни говорил, а вечер испорчен.

Что она собиралась спросить? Люди перешептываются, сбиваются в кучки. Похоже, у них есть близкое к истине соображение на этот счет. У него тоже есть близкое к истине соображение. Кое-что связанное с тем, чего, возможно, ждали от знаменитой писательницы Элизабет Костелло на одном подобном мероприятии и чего она не сказала.

Он видит, что декан Бротегам и другие суетятся вокруг его матери, пытаются сгладить неприятное впечатление. В конечном счете все они потратили на это немало сил, они хотят, чтобы она уехала с приятными воспоминаниями о них и о колледже. Но они должны смотреть в будущее, не забывать и о 1997 годе в надежде, что избранный жюри победитель будет более победоносным.

Мы пропускаем остальную часть сцены в фойе и отправляемся в отель.

Элизабет Костелло удаляется на покой. Некоторое время ее сын смотрит телевизор у себя в номере. Потом его одолевает беспокойство, и он спускается в вестибюль, и первая, кто попадается ему на глаза, — это женщина, интервьюировавшая его мать на радио, Сьюзен Мёбиус. Она машет ему. Она со спутником, но спутник вскоре уходит, и они остаются вдвоем.

Он находит Сьюзен Мёбиус привлекательной. Она хорошо одета, лучше, чем это обычно допускают условности научного сообщества. У нее длинные светло-золотистые волосы, она сидит на стуле не горбясь, расправив плечи, а когда она откидывает волосы, то делает это королевским жестом.

Они не говорят о событиях прошедшего вечера. Вместо этого они обсуждают возрождение радио как культурного медиа.

— Интересный разговор у вас получился с моей матерью, — говорит Джон. — Я знаю, вы написали о ней целый труд, который я, к сожалению, не читал. Вы можете сказать про нее что-нибудь хорошее?

— Думаю, да. Элизабет Костелло была ведущим писателем нашего времени. Моя книга не только о ней, но она занимает там важное место.

— Ведущий писатель... она ведущий писатель для всех нас или только для женщин, как вы думаете? У меня во время интервью возникло впечатление, что вы видите в ней исключительно писателя-женщину или писателя для женщин. Считали бы вы ее ведущим писателем, будь она мужчиной?

— Будь она мужчиной?

— Ну хорошо: будь вы мужчиной?

— Будь я мужчиной? Не знаю. Никогда не была мужчиной. Я дам вам знать, когда попробую.

Они улыбаются. Определенно что-то витает в воздухе.

— Но моя мать была мужчиной, — настаивает он. — Еще она была собакой. Она умеет воображать себя в шкуре других людей, других сущностей. Я читал ее книги, я знаю. Это в ее силах. Разве не это самое главное в художественной литературе: литература выводит нас из самих себя, помещает в другие жизни?

— Может быть. Но ваша мать все равно остается женщиной. Что бы она ни делала, она делает это как женщина. Она поселяется в своих героях, будучи женщиной, а не мужчиной.

— Я этого не чувствую. Мне ее мужчины кажутся абсолютно правдоподобными.

— Не чувствуете, потому что не можете. Такое чувствует только женщина. Это остается между нами, женщинами. Если ее мужчины правдоподобны — хорошо, я рада это слышать, но в конечном счете это называется мимикрией. Женщины прекрасно умеют мимикрировать, лучше мужчин. Даже пародировать. Наше прикосновение мягче.

Она снова улыбается. «Узнай, насколько мягкими могут быть мои прикосновения», словно говорят ее губы. Мягкие губы.

— Если в ней и есть пародия, — говорит он, — то, признаюсь, она слишком тонка для моего понимания. — Наступает долгая пауза. Наконец он говорит: — Значит, вот как вы считаете: мы живем параллельными жизнями, мужчины и женщины, и никогда по-настоящему не встречаемся?

Разговор ушел в сторону. Они больше не говорят о литературе, впрочем, может, они о ней и не говорили.

— А вы как считаете? — интересуется она. — Что вам говорит ваш опыт? И так ли уж плохо различие? Если бы не было различий, то что бы стало с желанием?

Она откровенно смотрит ему в глаза. Пора действовать. Он встает; она ставит свой стакан, тоже неторопливо встает, когда она проходит мимо него, он берет ее за локоть, и от этого прикосновения искра пробегает по всему его телу, голова начинает кружиться. Различия; противоположные полы. В Пенсильвании полночь, а который час в Мельбурне? Что он делает на этом чужом континенте?

Они вдвоем в кабине лифта. Не того лифта, в котором он поднимался с матерью, — другая шахта. Где север, где юг в этом шестигранном отеле, в этом улье? Он прижимает женщину к стене, целует ее, чувствует дымок в ее дыхании. *Продолжение исследования* — не так ли она назовет это потом? *Использование вторичных источников*. Он снова целует ее, она целует его в ответ, целует плоть от плоти[1].

Они выходят на тринадцатом этаже; он идет за ней по коридору, поворачивает направо, налево, совершенно теряет ориентацию. Сердцевина улья — они ее ищут? У его матери 1254-й номер. У него 1220-й. У нее 1307-й. Его удивляет, что есть такой номер. Он думал, что после двенадцатого этажа идет четырнадцатый — таково правило в отельном мире. Где находится 1307 по отношению к 1254 — на юге, на севере, на востоке, на западе?

Мы снова делаем пропуск, пропуск на сей раз в тексте, а не в действии.

Когда он потом вспоминает эти часы, одно мгновение возвращается с неожиданной яркостью, мгновение, когда ее колено проскальзывает ему под руку и упирается в подмышку. Странно, что в воспоминании обо всем событии доминирует одно мгновение, важность которого не очевид-

---

[1] Восходит к библейскому выражению «Сеющий в плоть свою от плоти пожнет тление», Послание к Галатам, 6:8.

на, но при этом оно такое живое, что он до сих пор чуть ли не чувствует прикосновение бедра-призрака к своей коже. Неужели разум по природе своей предпочитает чувства мыслям, осязаемое абстрактному? Или же согнутая в колене нога женщины — некий мнемонический знак, с которого будут начинаться воспоминания о той ночи?

То, что останется в воспоминаниях: они лежат бок о бок в темноте, разговаривают.

— И что — визит можно признать успешным? — спрашивает она.

— С чьей точки зрения?

— С твоей.

— Моя точка зрения не в счет. Я прилетел ради Элизабет Костелло. Имеет значение только ее точка зрения. Да, успешным. Достаточно успешным.

— Я слышу в твоем голосе капельку горечи?

— Ничуть. Я здесь, чтобы помогать — ни для чего другого.

— Это очень мило с твоей стороны. Ты чувствуешь себя в долгу перед ней?

— Да. В сыновнем долгу. Для людей это вполне естественное чувство.

Она ерошит его волосы.

— Не сердись, — говорит она.

— Я не сержусь.

Она соскальзывает вниз, гладит его.

— Достаточно успешным — что это значит? — бормочет она.

Она не сдается. За время, проведенное в ее постели, за то, что считается победой, еще должна быть заплачена цена.

— Речь не получилась. Она разочарована. Она вложила в эту речь много сил.

— С самой речью все в порядке. Вот только название неподходящее. И для иллюстрации ей не следовало брать Кафку. Есть тексты и получше.

— Есть?

— Да, лучше, более подходящие. Здесь Америка 1990-х. Люди больше не хотят слышать о кафкианстве.

— А о чем они хотят слышать?

Она пожимает плечами.

— О чем-нибудь более личном. Не обязательно с интимными подробностями. Но публике больше не нравится тяжелая неактуальная самоирония. Если им приставить пистолет к виску, то они, возможно, и примут это от мужчины, но не от женщины. У женщины нет нужды облачаться во все эти доспехи.

— А у мужчины есть?

— Лучше уж ты мне сам скажи. Если это проблема, то мужская проблема. Мы не присудили эту премию мужчине.

— Ты не рассматривала вероятность того, что моя мать перешагнула за рамки концепции мужчина — женщина? Что она, возможно, исследовала эту проблему до конца, а теперь вышла за более крупной дичью.

— Какой?

Рука, гладившая его, замирает. Наступает важный момент, он это чувствует. Она ждет его ответа, привилегированного доступа, который он ей обещает. Он тоже ощущает остроту момента, наэлектризованность, бесшабашность.

— Например, она измеряет себя, сопоставляя с блистательными покойниками. Например, она воздает должное тем силам, которые воодушевляют ее. Как-то так.

— Это она говорит?

— Ты не думаешь, что она делала это всю свою жизнь: сопоставляла себя с мастерами? Неужели никто в твоей профессии не признает это?

Ему не стоило говорить это. Не нужно ему совать нос в дела матери. Он оказался в постели этой женщины не из-за своих красивых глаз, а потому что он сын своей матери. А он тут выбалтывает тайны, как последний идиот! Наверное, так и действуют женщины-шпионы. Прут напролом. Мужчина соблазняется не потому, что его волю к сопротивлению умело преодолевают, а потому, что быть соблазненным — само по себе наслаждение. Мужчина уступает ради последствий своей уступки.

Один раз за ночь он просыпается, переполненный печалью, печаль такая глубокая, что он готов заплакать. Он легонько прикасается к плечу спящей рядом женщины, но она не реагирует. Он проводит рукой по ее телу: грудь, бок, бедро, лобок, колено. Она прекрасна в каждой части своего тела, в этом нет сомнений, но на какой-то пустой манер, который его больше не трогает.

Ему представляется мать в ее большой двуспальной кровати, она лежит скорчившись, подтянув к груди колени, с голой спиной. Из ее спины, из восковатой стариковской кожи выступают три иглы: не маленькие иглы акупунктуриста или шамана вуду, а толстые серые иглы, стальные или пластиковые — вязальные спицы. Эти спицы не убили ее, об этом можно не беспокоиться, она ровно дышит во сне. Тем не менее она лежит проколотая.

Кто это сделал? Кто мог это сделать?

Такое одиночество, думает он, паря призраком над старой женщиной в пустом номере. Сердце у него разрывается; печаль проливается, как серый водопад, из его глаз. Ему не следовало приходить сюда, в тринадцатый номер или какой там. Ошибочный шаг. Ему нужно немедленно встать и потихоньку уйти. Но он не делает этого. Почему? Потому что не хочет оставаться один. И потому что хочет спать. «Сон, распускающий клубок заботы[1]», — думает он. Какой необычный способ выражения! Не все обезьяны в мире, всю жизнь тюкающие по клавишам печатной машинки, смогли бы найти эти слова в такой последовательности. Из темноты являешься, из ниоткуда: вот тебя нет, а вот ты уже есть, словно новорожденный, сердце действует, мозг действует, действуют все механизмы этого сложного электрохимического лабиринта. Чудо. Он закрывает глаза.

Лакуна.

Когда он спускается на завтрак, Сьюзен Мёбиус уже там. Она во всем белом, вид отдохнувший и удовлетворенный. Он присоединяется к ней.

Она достает что-то из сумочки, кладет на стол — его часы.

— Отстают на три часа, — говорит она.

— Не на три, — говорит он. — На пятнадцать. По канберрскому времени.

Она смотрит в его глаза, или он в ее. Зеленые крапинки. У него щемит сердце. Неисследован-

---

[1] См. Шекспир, «Макбет», акт II, сцена 2, пер. Лозинского.

ный континент, с которым он вот-вот должен расстаться. Боль, крохотная боль утраты пронзает его. Боль не без наслаждения, как в определенной стадии зубной боли. Он может представить что-нибудь серьезное между собой и этой женщиной, которую, вероятно, никогда больше не увидит.

— Я знаю, о чем ты думаешь, — говорит он. — Ты думаешь, что мы больше никогда не увидимся. Ты думаешь: «Бессмысленное вложение».

— Что еще ты знаешь? — Ты думаешь, я тебя использовала. Ты думаешь, я через тебя пыталась подобраться к твоей матери.

Она улыбается. Умная женщина. Способная актриса.

— Да, — говорит он. — Нет. — Он набирает полную грудь воздуха. — Я тебе скажу, что я думаю на самом деле. Я думаю, ты поражена — даже если ты этого не признаешь — загадкой божественного в человеке. Знаешь, в моей матери есть что-то особенное — именно это и привлекает тебя к ней, — но, когда ты знакомишься с ней, она оказывается обычной старухой. Ты не можешь понять, как в одном человеке совмещается то и другое. Ты ищешь объяснения. Тебе нужен ключ, знак, если не от нее, то хотя бы от меня. Вот что происходит. Но в этом нет ничего предосудительного, я не возражаю.

Странные слова для произнесения за завтраком, за кофе и тостом. Он и не знал, что они сидят в нем.

— Ты воистину ее сын, верно? Ты тоже пишешь?

— Ты хочешь спросить, осенил ли меня господь своей дланью? Нет. Но да, я ее сын. Не найденыш, не приемный. Из ее чрева с писком появился я на свет.

— И у тебя есть сестра.

— Единоутробная. Из того же места. И мы оба настоящие. Плоть от ее плоти, кровь от ее крови.

— И ты никогда не был женат.

— Неверно. Был женат, развелся. А ты?

— У меня есть муж. Муж, ребенок, счастливый брак.

— Это хорошо.

Больше сказать нечего.

— У меня будет возможность попрощаться с твоей матерью?

— Ты можешь перехватить ее перед телевизионным интервью. В десять, в актовом зале.

Лакуна.

Телевизионщики выбрали актовый зал из-за красных бархатных портьер. Перед портьерами они поставили довольно вычурный стул для его матери и стул попроще для женщины, которая будет говорить с ней. Сьюзен, когда она появляется, вынуждена идти через весь зал. Она готова к отъезду, на плече у нее сумка из телячьей кожи, шаг у нее легкий, уверенный. И опять же легко, как касание пера, приходит боль, боль наступающей потери.

— Для меня было большой честью познакомиться с вами, миссис Костелло, — говорит Сьюзен, пожимая руку его матери.

— Элизабет, — говорит его мать. — Извините за этот трон.

— Я хочу дать вам это, Элизабет, — говорит Сьюзен и достает из сумки книгу. На обложке — женщина в древнегреческом облачении со свитком в руке. «Востребование истории: женщины и память» — гласит название. *Сьюзен Кей Мёбиус.*

— Спасибо, прочту с удовольствием, — говорит его мать.

Он остается на интервью, сидит в углу, смотрит, как мать превращается в ту персону, какой ее хотят видеть телевизионщики. Теперь позволяется выйти наружу всей эксцентричности, которую она отказывалась демонстрировать прошлым вечером: острые речевые обороты, истории детства в австралийской провинции («Вы должны понять, насколько огромна Австралия. Мы всего лишь блохи на ее спине, мы, поздние поселенцы»), истории о мире кино, об актерах и актрисах, пути которых пересекались с ее путем, об экранизациях ее книг и о том, что она о них думает («Кино — это примитивный вид искусства. Такова его природа; хочешь не хочешь, нужно учиться принимать его. Оно пишет картину грубыми мазками»). За этим следует взгляд на современный мир («У меня становится тепло на сердце, когда я вижу вокруг столько молодых сильных женщин, которые знают, чего хотят»). Она упоминает даже о наблюдениях за птицами.

После интервью она чуть не забывает книгу Сьюзен Мёбиус. Это он поднимает книгу с пола под стулом.

— И зачем только люди дарят книги, — бормочет она. — Где я найду для нее место?

— Я найду у себя.

— Тогда ты ее и возьми. Держи у себя. На самом деле она интересуется тобой, а не мной.

Он читает надпись: «Элизабет Костелло с благодарностью и восхищением».

— Мной? — говорит он. — Не думаю. Я был всего лишь, — говорит он почти ровным голосом, — пешкой в игре. Это тебя она любит и ненавидит.

Он говорит почти ровным голосом, но слово, которое чуть не сорвалось с его языка прежде «пешки», было «обрезки». Обрезки ногтей с пальцев ног, обрезки, которые крадут, заворачивают в ткань и уносят для своих собственных целей.

Мать не отвечает. Но она улыбается ему мимолетной, неожиданно торжествующей улыбкой (он не может видеть эту ее улыбку иначе).

Вся программа в Уильямстауне выполнена. Телевизионщики собирают аппаратуру. Через полчаса такси отвезет Джона с матерью в аэропорт. Она в большей или меньшей степени одержала победу. И на чужом поле. В выездном матче. Она может вернуться домой, сохранив свое истинное лицо, оставив позади маску, фальшивую, как и все маски.

Какова его мать истинная? Он не знает и в глубине души не хочет знать. Он здесь только для того, чтобы защищать ее, не допускать к ней охотников за древностями, наглецов и сентиментальных паломников. У него есть свое собственное мнение, но он не собирается его высказывать. Если бы у него спросили, он бы сказал: «Эта женщина, чьи слова вы ловите так, будто она сивилла, та же самая женщина, которая сорок лет назад пряталась день за днем в своей однокомнатной квартирке в Хэмпстеде, плакала про себя, выползала по вечерам на окутанные туманом улицы, чтобы купить рыбу с картошкой фри, которыми она только и питалась, а потом засыпала в чем была. Это та же самая женщина, которая позднее носилась вокруг дома в Мельбурне, с волосами, торчащими во все стороны, и кричала на детей: “Вы меня убиваете! Вы рвете куски мяса из моего тела!” (Потом он лежал в темноте рядом с сестрой, она плакала, а он утешал ее; ему было семь, и тогда он впервые познал вкус отцовства.) Это тайный мир оракула. Да как вы можете надеяться понять ее, если вы даже не знаете, что она такое на самом деле?»

Он не ненавидит мать. (Пока он вымучивает эти слова, у него в подкорке звучат другие слова: слова одного из персонажей Уильяма Фолкнера, который с параноидальной настойчивостью заверяет, что он не ненавидит Юг. Что это за персонаж?[1]) Напротив. Если бы он ее ненавидел, то удалился бы от нее на край света. Он не ненавидит ее. Он прислуживает в ее святилище, убирает мусор после ее церковных праздников, подметает лепестки, сортирует дары, собирает по крохам вдовьи подношения, готовит их к хранению. Пусть в исступлении он и не участвует, но в поклонении — да.

Рупор божества. Но слово «сивилла» ей не подходит. Как и слово «оракул». Слишком уж греко-римские. Его мать отлита не в греко-римской форме. Для нее больше подходят Тибет и Индия:

---

[1] Имеются в виду последние строки романа Фолкнера «Авессалом, Авессалом», разговор двух персонажей романа — Квентина и Шрива: «А теперь, пожалуйста, ответь мне еще на один вопрос. Почему ты ненавидишь Юг? — С чего ты взял, что я его ненавижу? — быстро, поспешно, мгновенно отозвался Квентин. — Это неправда, — сказал он. «Это неправда, — думал он, задыхаясь в холодном воздухе, в суровом мраке Новой Англии. Неправда! Неправда! Это неправда, что я его ненавижу! Неправда! Неправда! Неправда, что я его ненавижу!»

божество в инкарнации ребенка, которого возят из деревни в деревню, где встречают овациями, благоговением.

Потом они садятся в такси, едут по улицам, которые скоро будут забыты.

— Ну, — говорит его мать, — чисто сработали, и хвоста за нами нет.

— Надеюсь. Чек у тебя на месте?

— Чек, медаль — все на месте.

Лакуна. Они в аэропорту, у стойки регистрации, ждут, когда объявят посадку на рейс — первый этап их пути домой. Где-то над их головами тихо и с примитивным заводным ритмом звучит Eine kleine Nachtmusik[1]. Напротив них сидит женщина, поедает попкорн из бумажного пакета, она такая толстая, что ее ноги едва достают до пола.

— Можно я у тебя спрошу? — говорит он. — Почему история литературы? И почему такая мрачная глава из истории литературы? Реализм — никто здесь и слышать не хочет о реализме.

Она копается в сумочке, молчит.

— Когда я думаю о реализме, — продолжает он, — мне представляются крестьяне, вмерзшие в глыбы льда. Норвежцы в вонючем исподнем. Откуда у тебя интерес к реализму? И с какого боку тут Кафка? Какое он имеет ко всему этому отношение?

— К чему? К вонючему исподнему?

— Да. К вонючему исподнему. К людям, ковыряющим в носу. Ты не пишешь о таких вещах. Кафка о них не писал.

---

[1] «Маленькая ночная серенада» — серенада в четырех частях, написанная Вольфгангом Амадеем Моцартом в 1787 году.

— Да, Кафка не писал, как люди ковыряют в носу. Но у Кафки было время призадуматься о том, где его несчастная образованная обезьяна-самец найдет себе пару. И как оно будет, когда он останется в темноте с недоумевающей, недоприрученной самкой, которую его радетели в конечном счете предоставили в его пользование. Обезьяна Кафки интегрирована в жизнь. Важна именно интеграция, а не сама жизнь. Его обезьяна интегрирована, как интегрированы мы: ты — в меня, я — в тебя. Судьба этой обезьяны прослеживается до конца, до горького невыразимого конца, независимо от того, остаются на странице следы или нет. Кафка бодрствует во время лакун, когда мы дремлем. Вот с какого боку тут Кафка.

Толстая женщина откровенно разглядывает их, ее маленькие глаза перебегают с него на нее: пожилая женщина в плаще и мужчина с проплешиной, который вполне может быть ее сыном, спорят о чем-то, и акцент у них какой-то забавный.

— Ну, — говорит он, — если то, что ты говоришь, правда, то она отвратительна. Это пособие смотрителям зоопарка, а не проза.

— А что бы предпочел ты — зоопарк без смотрителей, где животные впадают в транс, когда ты отворачиваешься? Зоопарк представлений? Клетка гориллы с представлением о горилле внутри? Клетка слона с представлением о слоне в ней? Ты знаешь, сколько килограммов твердых отходов роняет слон за двадцать четыре часа? Если ты хочешь иметь настоящую клетку с настоящими слонами в ней, то тебе потребуется смотритель, чтобы за ними убирать.

— Ты говоришь не по делу, мама. И не надо так горячиться. — Он обращается к толстой женщине: — Мы разговариваем о литературе, о требованиях реализма в сравнении с требованиями идеализма.

Женщина, не переставая жевать, отводит взгляд. Он думает о пережеванном попкорне вперемешку со слюной у нее во рту, и его передергивает. Где все это в конечном счете окажется?

— Есть разница между уборкой клетки и наблюдением за животными, когда они занимаются своим делом, — снова начинает он. — Я не спрашиваю ни о первом, ни о втором. Разве животные не заслуживают частной жизни в той же мере, что и мы?

— В зоопарке — нет, — говорит она. — Если они выставлены на показ — нет. Как только ты выставлен на показ, ты лишаешься частной жизни. И вообще, разве ты спрашиваешь разрешения у звезд, прежде чем посмотреть на них в телескоп? Как насчет частной жизни звезд?

— Мама, звезды — это глыбы породы.

— Разве? А я думала, они — следы света, погасшего миллионы лет назад.

«Начинается посадка на рейс 323 “Юнайтед Эйрлайнс” до Лос-Анджелеса, — говорит голос над их головами. — Пассажиры, нуждающиеся в помощи, а также семьи с маленькими детьми могут обращаться на стойку регистрации».

Во время полета она почти не ест. Заказывает два бренди один за другим, потом засыпает. Когда несколько часов спустя они начинают снижение к Лос-Анджелесу, она все еще спит. Стюардесса прикасается к ее плечу.

— Мадам, пристегните, пожалуйста, ремень.

Она не реагирует. Он переглядывается со стюардессой, наклоняется, берет ремень и пристегивает.

Она сидит глубоко в кресле, ссутулившись, голова наклонена набок, рот открыт. Она чуть похрапывает. Самолет закладывает вираж, и в иллюминаторы врывается свет — над Южной Калифорнией сверкает заходящее солнце. Он видит ее ноздри, горло в глубине открытого рта. А то, что он не видит, он может представить: пищевод, розовый и уродливый, сжимающийся при глотании, как питон, затягивающий все в свое грушевидное брюхо. Он отворачивается, подтягивает собственный ремень, распрямляет плечи, смотрит перед собой. Нет, говорит он себе, я не оттуда появился на свет, не оттуда.

Урок 2
АФРИКАНСКИЙ РОМАН

Как-то, будучи приглашенной на обед, она встречается с X, которого не видела много лет. Она спрашивает, преподает ли он все еще в университете Квинсленда. Нет, отвечает X, он на пенсии и теперь работает на круизных лайнерах, плавающих по всем морям и океанам, он показывает старые фильмы, рассказывает пенсионерам о Бергмане и Феллини. Он никогда не жалел об этом своем шаге.

— Платят хорошо, есть возможность посмотреть мир, и — знаете что? — люди в таком возрасте и в самом деле слушают то, что ты им говоришь. — Он уговаривает ее попробовать: — Вы знаменитость, известный писатель. Круизная линия, на которой я работаю, ухватится за возможность заполучить вас. Вы станете бриллиантом в их короне. Скажите только слово — и я поговорю с директором, он мой приятель.

Это предложение заинтересовывает ее. В последний раз она была на корабле в 1963 году, когда возвращалась домой из Англии — из метрополии. Вскоре после этого владельцы начали выводить свои огромные океанские лайнеры из оборота, пилить их на металлолом. Конец эры. Она ничуть не возражала бы снова побывать в море. Заглянуть на остров Пасхи, на остров Святой Елены, где прозябал Наполеон. Побывать в Антарктике. Не для того, чтобы своими глазами увидеть эти необъятные горизонты, эту голую пустыню, а чтобы побывать на седьмом и последнем континенте, почувствовать, что это такое — быть живым, дышащим существом в условиях нечеловеческого холода.

Х держит слово. Из штаб-квартиры «Скандия Лайнс» в Стокгольме приходит факс. В декабре лайнер «Огни Севера» отправится из Крайстчерча в пятнадцатидневное плавание на Ледник Росса, а оттуда в Кейптаун. Если будет на то ее желание, ее зачислят в зрелищно-образовательный отдел. Пассажиры на круизных лайнерах «Скандии», как говорится в письме, «разборчивые люди, которые серьезно относятся к своему досугу». Акцент в программе во время плавания будет на орнитологию и экологию холодных вод, но «Скандия» будет рада, если известная писательница Элизабет Костелло найдет время и прочтет короткий курс, скажем, о современном романе. За это и за возможность для пассажиров общения с известной писательницей ей будет предложена каюта класса А с включением всего обслуживания, авиабилет из Кейптауна до Крайстчерча и вдобавок существенная денежная выплата.

От такого предложения она не может отказаться. Утром десятого декабря она поднимается на палубу лайнера в гавани Крайстчерча. Каюта, как выясняется, невелика, но в остальном вполне удовлетворительная; молодой человек, который координирует программу зрелищ и саморазвития, относится к ней уважительно; пассажиры за ее столиком на ланче — в основном пенсионеры, люди ее поколения, они приятны и ненавязчивы.

В списке таких же, как она, лекторов она находит только одно знакомое имя: Эммануэль Эгуду, писатель из Нигерии. Они познакомились столько лет назад, что ей и вспоминать не хочется. Это случилось в Куала-Лумпуре на конференции ПЕН-клуба. Эгуду тогда был громогласным и горячим, увлекался политикой; по первому впечатлению он показался ей позером. Она потом читала его книги и своего мнения о нем не изменила. Но теперь она спрашивает себя: а что это такое — позер? Человек, который выставляет себя тем, чем не является? А кто из нас не выставляет себя тем, что он не есть на самом деле? И в любом случае в Африке совсем другие нравы. То, что в остальном мире назовут хвастовством, в Африке, возможно, назовут просто мужественностью. Какое право имеет она судить?

Она замечает, что по отношению к мужчинам, включая и Эгуду, она с возрастом смягчилась. Странно, потому что в других отношениях она стала более (он осторожно подбирает слово) брюзгливой.

Она встречается с Эгуду во время капитанского коктейля (он появился на корабле с опозданием). На нем ярко-зеленая дашики[1], изысканные итальянские туфли; в бороде седина, но он попрежнему в хорошей форме. Он широко ей улыбается, заключает в объятия.

— Элизабет! — восклицает он. — Как я рад тебя видеть! Я и подумать не мог. Нам нужно столько друг другу рассказать!

---

[1] *Дашики* — цветастая мужская и женская одежда, характерная главным образом для Западной Африки.

На его языке «рассказать друг другу», кажется, означает разговор о его собственной деятельности. Он теперь совсем мало времени проводит в своей стране, сообщает он ей. Он стал «закоренелым ссыльным, вроде закоренелого преступника». Получил американские документы, зарабатывает на жизнь лекционными турами — турами, которые обслуживаются теперь круизными лайнерами. Это уже его третье путешествие на «Огнях Севера». Он находит такие путешествия очень умиротворяющими, очень расслабляющими. Кто бы мог предположить, говорит он, что сельский мальчишка из Африки придет к этому, будет купаться в роскоши? И он снова улыбается ей своей широкой, особенной улыбкой.

«Я и сама сельская девчонка», — хочет сказать она, но не говорит, хотя отчасти это правда. *Ничего исключительного нет в том, что ты из сельской местности.*

Все ответственные за культурную программу обычно выступают с короткой речью перед публикой.

— Просто сообщите, кто вы, откуда, — объясняет молодой координатор на безупречном английском.

Его зовут Микаэл; он красив на шведский манер — высокий блондин, но угрюм, слишком угрюм, на ее вкус.

Ее выступление заявлено как «Будущее романа», выступление Эгуду — как «Африканский роман». Ее выступление запланировано на утро первого дня плавания, его — на вторую половину того же дня. Вечером покажут «Жизнь китов» со звукозаписью.

Представляет лекторов сам Микаэл.

— Знаменитая австралийская писательница, — объявляет он, — автор «Дома на Экклс-стрит» и многих других романов, чье присутствие на лайнере воистину большая честь для всех нас.

Ее злит, что опять ее рекламируют как автора книги из такого далекого прошлого, но с этим ничего нельзя поделать.

«Будущее романа» — с этой темой она уже выступала, даже, можно сказать, много раз выступала, читала свою лекцию в расширенном или урезанном варианте в зависимости от аудитории. Несомненно, существуют расширенные и урезанные варианты африканского романа и жизни китов. Для данного случая она выбрала урезанную версию.

— Тема о будущем романа не очень меня интересует, — начинает она, пытаясь встряхнуть аудиторию. — На самом деле и будущее вообще меня не очень интересует. Да и что такое будущее, если не сооружение из надежд и ожиданий? Оно существует только у нас в мозгу, но не в реальности.

Вы, конечно, может возразить, сказать, что и прошлое — тоже вымысел. Прошлое — это история, а что такое история, если не вымысел, сотворенный из воздуха, вымысел, который мы рассказываем сами себе. И тем не менее в прошлом есть нечто удивительное, что отсутствует в будущем. И вот что есть удивительного в прошлом: нам удалось — одному богу известно, каким образом — создать тысячи и миллионы отдельных сочинений, сочинений, сотворенных отдельными человеческими существами, и эти сочинения оказались достаточно хорошо пригнаны друг к другу, чтобы дать нам то, что похоже на общее прошлое, совместную историю.

С будущим дело обстоит иначе. У нас нет совместной истории будущего. Сотворение прошлого, кажется, истощило нашу коллективную творческую энергию. В сравнении с нашими домыслами о прошлом, наши домыслы о будущем — поверхностные, бескровные, наподобие наших представлений о райских кущах. О райских кущах и даже об аде.

— Роман, традиционный роман, — продолжает она, — это попытка понять отдельную человеческую судьбу, понять, как так получается, что некоторое существо, отправившись в путь из точки A, получив жизненный опыт B, C и D, оказывается в точке Z. Таким образом, роман, как и история, это упражнение в придании связности прошлому. Как и история, он исследует соответствующие вклады персонажей и обстоятельств в формирование настоящего. И этим своим действием роман подсказывает нам способ использования энергии настоящего для сотворения будущего. Вот для чего мы имеем эту вещь, этот институт, медиа, — то, что называется романом.

Она, слыша собственный голос, сомневается, привержена ли она все еще тому, что говорит[1]. Подобные идеи, вероятно, оказали на нее какое-то влияние, когда она записывала их много лет назад, но после стольких повторов они пообтрепались, стали неубедительными. С другой стороны, она теперь больше не очень-то привержена приверженностям. Она считает, что идеи могут оставать-

---

[1] О «приверженностях» Элизабет Костелло и некоторых особенностях перевода см. последнюю главу «У врат».

ся верными, даже если ты им больше не привержена, и наоборот. Приверженность в конечном счете может оказаться не более чем источником энергии, чем-то вроде аккумулятора, который пристегивают к идее, чтобы заставить ее двигаться. То же самое происходит, когда ты пишешь: тогда ты привержена тому, чему должна быть привержена, иначе не сможешь дописать начатое.

Если она сама сомневается в собственных аргументах, то вряд ли стоит сетовать на то, что в ее голосе не слышится убежденности. Хотя она, по словам Микаэла, знаменитый автор «Дома на Экклс-стрит» и других книг, хотя аудитория в основном принадлежит к ее поколению, а потому должна разделять с ней общее прошлое, аплодисментам по окончании лекции не хватает энтузиазма.

Во время лекции Эммануэля она сидит, стараясь не привлекать внимания, в заднем ряду. До этого им подали неплохой ланч, они плывут на юг, по морю, которое по-прежнему остается спокойным; велика вероятность, что часть добрых людей из аудитории — числом, по ее прикидке, около пятидесяти — начнет клевать носом. Да кто знает — и она сама может начать клевать носом, а в таком случае лучше, чтобы никто этого не видел.

— Вы, возможно, задаете себе вопрос, почему я выбрал такую тему — африканский роман, — начинает Эммануэль своим гулким, без всяких для этого усилий с его стороны, голосом. — Что такого особенного в африканском романе? Что делает его другим, настолько другим, чтобы потребовать сегодня нашего внимания.

Что ж, посмотрим. Для начала мы все знаем, что алфавит, идея алфавита родились не на африканской почве. В Африке выросло много чего, больше, чем вы можете себе представить, но не алфавит. Алфавит пришлось импортировать, сначала из арабских земель, потом из западного мира. В Африке само письмо, я уж не говорю о написании романов, — дело новое.

Вероятно, у вас возникает вопрос, возможен ли роман без письменности. Существовал ли у нас, в Африке, роман до того, как наши друзья-колонизаторы появились у нас на пороге? Позвольте пока подвесить этот вопрос в воздухе. Позднее я, возможно, еще вернусь к нему.

Второе замечание: чтение — не самое африканское времяпрепровождение. Музыка — да, пляски — да, еда — да, болтовня — да, много болтовни. Но чтение — нет, а в особенности — чтение романов. Чтение никогда не устраивало нас, африканцев, будучи странно уединенным занятием. От таких вещей мы чувствуем себя не в своей тарелке. Когда мы, африканцы, посещаем великие европейские города вроде Парижа и Лондона, мы замечаем, как люди в поездах достают книги из своих сумок или карманов и погружаются в мир уединения. Каждый раз, когда появляется книга, человек словно вывешивает знак: *Оставьте меня в покое, я читаю. То, что я читаю, интереснее, чем любой из вас.*

Мы в Африке не такие. Мы не любим отсекать от себя других людей и погружаться в свой частный мир. И мы не привычны к тому, что наши соседи погружаются в свои частные миры. Африка — континент, на котором люди общаются. Читая книгу, вы не общаетесь. Это все равно как есть в одиночестве или говорить в одиночестве. Это не наш путь. Мы его считаем немного ненормальным.

Мы, мы, мы, думает она. *Мы африканцы*. Это не *наш* путь. Она никогда не любила *мы* с его смыслом исключительности. Эммануэль мог постареть, он мог получить благословение американских газет, но он не изменился. Африканство — особая идентичность, особая судьба.

Она бывала в Африке — в нагорьях Кении, в Зимбабве, в дельте Окаванго. Она видела читающих африканцев, обычных африканцев на автобусных остановках, в поездах. Да, они не читали романы, они читали газеты. Но разве газета не такой же путь в свой частный мир, как роман?

— И третье, — продолжает Эгуду, — в великой благотворной глобальной системе, в которой мы сегодня живем, Африке предписано быть домом бедности. У африканцев нет денег на роскошества. В Африке книга должна компенсировать вам затраты на нее. Что я получу, если прочту эту историю, спросит африканец. Как она продвинет меня? Мы можем осуждать такой подход африканцев, леди и джентльмены, но мы не можем отмахнуться от него. Мы должны отнестись к нему серьезно и попытаться его понять.

Мы в Африке, конечно, печатаем книги. Но мы печатаем книги для детей, простейшие учебники. Если вы пожелаете заработать в Африке деньги книгоиздательством, то вы должны будете выпускать книги, которые предписаны школе, которые будут покупаться в больших количествах системой образования для прочтения и изучения в классе. Вы не заработаете денег, печатая писателей с серьезными амбициями, писателей, пишущих о взрослых и о вещах, которые имеют отношение к взрослым. Такие писатели должны искать спасения где-нибудь в другом месте.

Конечно, леди и джентльмены «Огней Севера», я сегодня предлагаю вам не всю картину. Для полной картины потребовался бы весь вечер. Я даю вам только грубоватый, приближенный набросок. Вы, конечно, найдете издателей в Африке — одного здесь, другого там, они поддерживают местных писателей, хотя при этом и не зарабатывают денег. Но если посмотреть шире, то рассказывание историй не кормит ни писателей, ни издателей.

Но хватит об общих местах, они могут испортить настроение. Обратим наше внимание на самих себя — на вас, на меня. Вот он я, вы знаете, кто я, об этом сказано в программке: Эммануэль Эгуду из Нигерии, автор романов, поэм, пьес, даже обладатель Литературной премии Британского содружества наций (Африканского подразделения). И вот вы — богатые или, по меньшей мере, с достатком, как принято у вас говорить, люди (я ведь, кажется, не ошибаюсь, да?) из Северной Америки и Европы. И, конечно, не забудем австралийских представителей, а еще, кажется, я слышал раз-другой шепоток по-японски в коридорах. Все вы отправились в путешествие на этом великолепном корабле, чтобы отметиться в одном из самых удаленных уголков мира, вероятно, чтобы отметить его в своем списке. И вот вы сидите здесь после доброго ланча и слушаете этого африканского парня.

И я воображаю, как вы спрашиваете у себя: а почему этот африканский парень оказался на борту нашего корабля? Почему он не сидит за письменным столом в деревне, где родился, и, в согласии со своим призванием, если он и в самом деле писатель, не пишет книги? Почему он рассуждает об африканском романе, о предмете, который если и касается нас, то уж очень периферийно?

Короткий ответ, леди и джентльмены, состоит в том, что африканский парень зарабатывает себе на жизнь. В его собственной стране, как я пытался вам объяснить, он не в состоянии заработать себе на жизнь. В своей собственной стране (я не буду вникать в детали, говорю об этом только потому, что это верно и в отношении многих моих коллег — африканских писателей) его вовсе не ждут с распростертыми объятиями. В своей собственной стране он, что называется, «диссидентствующий интеллектуал», а диссидентствующие интеллектуалы должны жить с оглядкой даже в новой Нигерии.

И вот, пожалуйста, он здесь, вдали от дома, зарабатывает себе на жизнь. Еще он зарабатывает себе на жизнь писательством, его книги публикуют, читают, о них пишут, говорят, рассуждают, и делают это по большей части иностранцы. Остальные его заработки побочные. Он, например, пишет для европейской и американской прессы рецензии на книги других писателей. Читает лекции в американских колледжах, рассказывает молодым людям Нового Света о том экзотическом предмете, в котором он знает толк на тот же манер, на какой слон знает толк в слонах: об африканском романе. Он участвует в конференциях, плавает на круизных лайнерах. Занимаясь всеми этими делами, он обитает в так называемых местах временного проживания. Все его адреса временные, у него нет постоянной крыши над головой.

Насколько, по-вашему, леди и джентльмены, этому парню легко оставаться верным своей писательской сути, когда ему необходимо месяц за месяцем угождать всем этим посторонним людям — издателям, читателям, критикам, студентам, которые вооружены не только собственным представлением о том, что такое писательство или как следует писать, что такое роман и каким он должен быть, какова Африка и какой она должна быть, но и о том, что такое угождение и каким оно должно быть? Вы думаете, этот парень может оставаться неуязвимым к тому давлению, которое оказывают на него, требуя угождения, требуя от него, чтобы он стал таким, каким, по их мнению, должен стать, чтобы давал им то, что, по их мнению, должен давать?

Может быть, это прошло мимо вас, но я минутку назад обронил слово, которое должно было бы вас насторожить — я говорил о моей писательской сути и моей верности этой сути. Я многое мог бы рассказать о сути и ее разновидностях, но сейчас не подходящий случай для этого. Тем не менее вы, должно быть, спрашиваете себя: что дает мне право в наши антисущностные дни, в дни мимолетных идентичностей, которые мы надеваем, носим и выбрасываем, как одежду, говорить о моей сути, сути африканского писателя?

Мне следует напомнить вам, что вокруг сущности и сущностности, или эссенциализма[1], в аф-

---

[1] *Сущность* — смысл данной вещи, то, что она сама собой представляет, в отличие от всех других вещей и в отличие от изменчивых (в зависимости от обстоятельств) состояний вещи. *Сущностность* (признаем некоторую искусственность этого термина), или *эссенциализм*, — концепция, предполагающая, что у вещей есть некая глубинная реальность, истинная природа, которую нельзя узреть напрямую.

риканском общественном мнении давно идет бессодержательный спор. Возможно, вы слышали о движении négritude[1] в 1940–50-е годы. Négritude, по мысли основателей движения, есть сущностный субстрат, который объединяет всех африканцев и делает их неповторимо африканцами — не только африканцев Африки, но и африканцев великой африканской диаспоры в Новом Свете, а теперь и в Европе.

Я хочу процитировать вам несколько слов сенегальского писателя и мыслителя Шейха Хамиду Кане[2]. Шейха Хамиду интервьюировал европеец. Я озадачен, сказал он, вашей похвалой в адрес некоторых писателей за то, что они истинные африканцы. Поскольку эти писатели пишут на иностранном языке (а именно на французском), публикуются и по большей части читаются в других странах (а именно во Франции), можно ли их называть настоящими африканскими писателями? Не правильнее ли будет называть их французскими писателями африканского происхождения? Разве язык не является более важной матрицей, чем рождение?

И вот что ответил Шейх Хамиду: «Писатели, о которых я говорю, истинные африканцы, потому что они родились в Африке, они живут в Аф-

---

[1] Негритянство, принадлежность к черной расе.

[2] *Шейх Хамиду Кане* (род. 1928) — сенегальский писатель, более всего известный своим автобиографическим романом «Сомнительное путешествие» (L'Aventure ambigüe), удостоенным Нобелевской премии. Герой романа — мальчик, представитель народа фулани (к которому принадлежит и сам Шейх Хамиду Кане), уезжает учиться во Францию, где теряет связь с исламом и своими сенегальскими корнями.

рике, их восприятие африканское... Отличают их от других жизненный опыт, их восприимчивость, их ритм, их стиль». И продолжает: «У французских и английских писателей за спиной тысячелетняя письменная традиция... Мы же, напротив, наследники устной традиции».

В ответе Шейха Хамиду нет ничего мистического, ничего метафизического, ничего расистского. Просто он уделяет должное внимание тем нюансам культуры, которые мы часто упускаем из виду, поскольку их нелегко определить словами. Тому, как люди обитают в своих телах. Тому, как двигают руками. Как они ходят. Как улыбаются или хмурятся. Ритму их речи. Тому, как они поют. Тембру их голоса. Тому, как они танцуют. Тому, как они прикасаются друг к другу, надолго ли задерживают руку, что чувствуют при этом их пальцы. Тому, как они занимаются любовью. Как лежат, отзанимавшись любовью. Как думают. Как спят.

Мы, африканские романисты, можем передать эти качества в наших трудах (и позвольте мне напомнить вам в эту минуту, что слово «роман», когда оно пришло в европейские языки, имело самые неопределенные значения: оно обозначало форму письма, которая не имела формы, не имела правил, которая по мере своего развития сама создавала правила), мы, африканские романисты, можем передать эти качества как никто другой, потому что мы не утратили связи с телом. Африканский роман, настоящий африканский роман — роман устный, «оральный», как его еще называют. На бумаге он становится инертным, в лучшем случае полуживым; он пробуждается, когда голос из глубины тела вдыхает жизнь в слова, произносит их вслух.

Таким образом, африканский роман, заявляю я, по самой своей сути и до того, как написано первое слово, это критический отклик на роман западный, который прошел так далеко по пути разъединения духовного и телесного — вспомните Генри Джеймса, вспомните Марселя Пруста, — что самая подходящая, а на самом деле единственная, атмосфера его потребления — это тишина и уединение. И я завершу свои замечания, леди и джентльмены, — я вижу, мое время уже истекает, — цитатой в поддержку моей и Шейха Хамиду позиции, цитатой, взятой не у африканца, а у человека, живущего на снежных просторах Канады, великого исследователя устности Поля Зюмтора[1].

«Начиная с семнадцатого века, — пишет Зюмтор, — Европа распространялась по всему миру, как раковая опухоль, сначала украдкой, но потом уже некоторое время со все возрастающей скоростью, и вот сегодня она губит жизненные формы, животных, растения, места обитания, языки. С каждым ушедшим днем исчезают несколько

---

[1] *Поль Зюмтор* (1915–1995) — швейцарский историк и филолог-медиевист. Важными для мировой науки стали его работы о значении устного исполнения («голоса») и коллективного слухового восприятия в становлении поэтики средневековой словесности, систематическую реконструкцию которой он предпринял в нескольких фундаментальных монографиях. Английский термин «orality» (перевод «устность», калька с английского, употреблен здесь волюнтаристски, поскольку устоявшегося термина для обозначения этого явления в русском языке не нашлось) был принят для описания структур сознания в культурах, которые не используют (или используют минимально) технологию письма, печатного слова.

языков, от них отказываются, их душат... Одним из симптомов болезни с самого начала несомненно, было то, что мы называем литература; и литература укреплялась, процветала и стала тем, что она есть, — одним из громаднейших достижений человечества, и стала она такой за счет отрицания голоса... Настало время прекратить давать преимущества письму... Может быть, огромная несчастная Африка, доведенная до нищеты нашим политико-промышленным империализмом, будучи в меньшей мере развращена письменностью, окажется ближе к этой цели, чем другие континенты».

Громкими оживленными аплодисментами реагирует публика на речь Эгуду. Он говорил убедительно, может быть, даже страстно, он постоял за себя, за свое призвание, за свой народ — почему он не может получить за это награду, даже если его слова не имеют никакого отношения к жизни его слушателей?

И все же что-то ей не нравится в его речи, что-то связанное с устностью и мистикой устности. Вечные эти разговоры о важности тела, выставление его на передний план, и о голосе, темной сущности тела, которая прорывается из него наружу. Négritude — она прежде думала, что Эммануэль перерос эту псевдофилософию. Она определенно ошибалась. Он определенно решил сохранить ее в качестве части своего профессионального облика. Ну что ж, удачи ему. Еще осталось не менее десяти минут на вопросы. Она надеется, вопросы будут щекотливыми и защекочут его до смерти.

Первый вопрос задает женщина со Среднего Запада (судя по ее акценту) Штатов. Первый роман, написанный африканцем, который она прочла много лет назад, принадлежал перу Амоса Тутуолы[1], название она забыла. («Пальмовый Пьянарь и его Упокойный Винарь»[2], — приходит ей на помощь Эгуду. — «Да, именно», — отвечает она.) Книга покорила ее. Она полагала, что это первая ласточка великого будущего. И потому она была разочарована, ужасно разочарована, когда узнала, что Тутуолу не ценят в собственной стране, что образованные нигерийцы умаляют его заслуги и считают его репутацию на Западе незаслуженной. Правда ли это? Не принадлежит ли Тутуола к романистам устной традиции, о которых говорил оратор? Что случилось с Тутуолой? Переводились ли другие его книги?

Нет, отвечает Эгуду, Тутуолу больше не переводили, на самом деле его не переводили вообще, по крайней мере на английский. Почему нет? Потому что он не нуждался в переводчиках. Потому что он писал только по-английски.

— И в этом корень проблемы, которую подняла дама, задавшая вопрос. Язык Амоса Тутуолы английский, но не стандартный английский, не тот английский, который учили в школах и колледжах нигерийцы в пятидесятые годы. Это язык полуобразованных клерков, человека, получившего начальное образование, почти непонятный стороннему человеку, причесанный английскими редакторами перед публикацией. Там, где писанина

---

[1] *Амос Тутуола* (1920–1997) — нигерийский писатель, известный сказочными произведениями, основанными на фольклорных образах народа йоруба.

[2] Полное название этой книги, написанной в 1946 г. и выходившей на русском языке, — «Путешествие в Город Мертвых, или Пальмовый Пьянарь и его Упокойный Винарь».

Тутуолы была откровенно безграмотной, они подправили, не стали они править то, что показалось им национальным нигерийским колоритом, иными словами, то, что для их уха звучало живописно, экзотично, фольклорно.

— Из того, что я сейчас сказал, — продолжает Эгуду, — вы можете предположить, что я не одобряю Тутуолу или феномен Тутуолы. Это далеко не так. Тутуолу отвергли так называемые образованные нигерийцы, потому что он поставил их в неловкое положение — неловкость состояла в том, что их могут свалить в одну кучу с ним как туземцев, не владеющих настоящим английским. Что касается меня, то я счастлив быть туземцем, нигерийским туземцем, туземным нигерийцем. В этой борьбе я на стороне Тутуолы. Тутуола — одаренный рассказчик, был таковым. Я рад, что он вам понравился. Еще несколько его книг были изданы на английском, хотя ни одна из них, я бы сказал, не достигла уровня «Пальмового Пьянаря». И да, он тот тип писателя, которых я отношу к устной традиции.

Я ответил вам так развернуто, потому что случай Тутуолы весьма поучителен. Выделяется он тем, что он не приноравливал свой язык к ожиданиям (или к тому, что он, будь он менее наивен, мог представлять себе ожиданиями) иностранцев, которые станут его читателями и судьями. Он писал, как говорил, и не предполагал, что можно иначе. А потому ему при полном отсутствии выбора пришлось согласиться на то, чтобы его упаковали для Запада и подали как африканскую экзотику.

Но кто из африканских писателей не экзотика, леди и джентльмены? Истина состоит в том, что все мы, африканцы, экзотика, а то и просто дикари. Такова наша судьба. Даже здесь, на корабле, плывя к континенту, который должен считаться самым экзотичным из всех и самым диким, континенту, вообще находящемуся за рамками человеческих стандартов, я все равно ощущаю себя экзотикой.

По залу шелестит смешок. Эгуду улыбается своей широкой привлекательной улыбкой. И спонтанной — иначе и не назовешь. Но она не верит, что это искренний смех, что он идет от сердца, если только улыбки рождаются там. Если Эгуду принял для себя такую судьбу, то это страшная судьба. Она не верит, что он этого не знает — все он знает, и его сердце протестует против этого. Одно черное лицо среди моря белых лиц.

— Но позвольте мне вернуться к вашему вопросу, — продолжает Эгуду. — Вы читали Тутуолу, прочтите теперь моего соотечественника Бена Окри[1]. Случай Амоса Тутуолы крайне прост, крайне очевиден. С Окри иначе. Окри — наследник Тутуолы, или же они оба наследники общего предка. Но Окри улаживает конфликты, которые возникают от того, что он остается самим собой для других людей (прошу меня простить за вычурность языка — это туземная привычка выпендриваться), гораздо более сложным способом. Почитайте Окри. Получите поучительный опыт.

Предполагалось, что «Африканский роман» будет легким делом, как и все разговоры на борту лайнера. Ничто в программе не должно быть тя-

---

[1] *Бен Окри* (род. 1959) — нигерийский поэт и романист, один из самых ярких африканских писателей постмодернизма и постколониализма.

желым. Эгуду, к сожалению, обещает быть тяжелым. Директор развлекательных программ, высокий шведский мальчик в голубой форме, подает кивком знак из-за кулис, и Эгуду легко, изящно подчиняется — закругляет свое выступление.

* * *

Экипаж на «Огнях Севера» русский, как и стюарды. Фактически все, кроме офицеров, гидов и менеджеров, русские. Музыку на борту обеспечивает оркестр балалаечников — пять мужчин, пять женщин. Их аккомпанемент за обедом, на ее вкус, слишком приторный. После обеда музыка, которую они играют в танцевальном зале, становится живее.

Руководитель оркестра, она же певица, — блондинка лет тридцати с небольшим. Она говорит на жутковатом английском, но этого достаточно, чтобы объявлять номера. «Мы сыграть вещь, по-английски это «My Little Dove. My Little Dove». Ее *dove* рифмуется со *stove*, а не с *love*[1]. Песня в ее исполнении, с руладами и долгими удержаниями нот, похожа на венгерскую, на цыганскую, на еврейскую, на какую угодно, только не на русскую, но кто такая она, сельская девчонка Элизабет Костелло, чтобы судить?

Она выпивает с супружеской парой, которая делит с ней обеденный стол. От них она узнает, что они из Манчестера и теперь с нетерпением ждут ее лекции о романе, они оба подписались на нее.

---

[1] Название песни «Моя голубка»; английское «о» может произноситься по-разному, в случае с *dove* и *love* буква «о» произносится как «а», а в случае *stove* — как «оу».

Мужчина высок, строен, у него седина в волосах, он напоминает ей баклана. Он не говорит, на чем заработал деньги, а она не спрашивает. Женщина миниатюрная, чувственная. Как-то это не вяжется с представлением Элизабет о Манчестере. Стив и Ширли. Она предполагает, что они не в браке.

К ее облегчению, разговор вскоре от нее и ее книг переходит к океаническим течениям, о которых Стив знает, кажется, все, что можно знать, и к крохотным существам, которых тонны на квадратную милю, чья жизнь состоит в том, чтобы безмятежно носиться по этим ледяным водам, есть и быть съеденными, плодиться и умирать, не оставляя следа в истории. Экологические туристы — так называют себя Стив и Ширли. В прошлом году они были на Амазонке, в этом — отправились в Южные моря.

Эгуду стоит у входа, смотрит вокруг. Она машет ему — он подходит.

— Присаживайся к нам, Эммануэль. Знакомься — Ширли, Стив.

Они поздравляют Эммануэля с лекцией.

— Очень интересно, — говорит Стив. — Вы дали мне абсолютно новую перспективу.

— Я размышляла, слушая вас, — говорит Ширли более задумчиво. — Я не читала ваших книг, к сожалению, но для вас как писателя, как устного писателя, о котором вы вели речь, может быть, печатная книга не является подходящим посредником. Вы никогда не думали о том, чтобы наговорить свои романы на пленку? Зачем идти окольным путем через печать? И вообще — зачем идти окольным путем и набирать рукопись? Говорите напрямую с вашими слушателями.

— Какая замечательная мысль, — говорит Эммануэль. — Она не решит всех проблем африканского писателя, но подумать об этом стоит.

— Почему она не решит ваших проблем?

— Потому что, к сожалению, африканцу нужно нечто большее, чем сидеть в тишине и слушать диск в маленькой машинке. Это было бы слишком похоже на идолопоклонничество. Африканцу нужно присутствие живого существа, живой голос.

Живой голос. За столиком воцаряется тишина — трое за столом размышляют о живом голосе.

— Ты в этом уверен? — говорит она, в первый раз вмешиваясь в разговор. — Африканцы не возражают против радио. Радио — это голос, но не живой голос, не живое присутствие. Мне думается, Эммануэль, что ты требуешь не просто голоса, но исполнения: живого актера, декламирующего для тебя текст. Если так, если африканцам нужно то, о чем ты говоришь, то я согласна, обычная запись ничего не даст. Но роман никогда не создавался как сценарий для исполнения. С самого начала роман ставил себе в заслугу независимость от исполнения. Невозможно иметь и живое исполнение, и дешевую, удобную продажу. Либо одно, либо другое. Если ты хочешь, чтобы роман был таким — пачка бумаги, влезающая в карман, которая одновременно и живое существо, — то я согласна, у романа в Африке нет будущего.

— Нет будущего, — задумчиво говорит Эгуду. — Это звучит очень мрачно, Элизабет. Ты можешь предложить какой-нибудь выход?

— Выход? Не мне предлагать тебе выход. Предложить я могу только вопрос. Почему в мире столько африканских романистов, но нет достойного африканского романа? Вот что мне кажется настоящим вопросом. И ты сам дал ключ к ответу в твоей речи. Экзотичность. Экзотичность и ее соблазны.

— Экзотичность и ее соблазны? Ты нас интригуешь, Элизабет. Расскажи нам, что ты имеешь в виду.

Если бы этот разговор происходил с глазу на глаз, то она бы сейчас вышла. Она устала от глумливых скрытых смыслов в его словах, она раздражена. Но в присутствии незнакомых людей, клиентов, они должны сохранять лицо, и она, и он.

— Английский роман пишут главным образом англичане и для англичан. Русский роман пишут русские для русских. Но африканский роман не пишется африканцами для африканцев. Африканские романисты могут писать об Африке, об африканском опыте, но они, пока пишут, словно все время поглядывают через плечо на иностранцев, которые будут их читать. Хотят они того или нет, они взяли на себя роль толкователей, растолковывающих Африку читателям. Но как можно исследовать мир во всей его глубине, если ты в то же время должен объяснять его чужестранцам? Это как если бы ученый пытался отдать предмету исследования свое творческое внимание во всей полноте, в то же время объясняя, что он делает, классу невежественных учеников. Это слишком много для одного человека, это невозможно на глубинном уровне. В этом, мне кажется, корень твоей проблемы. Необходимость демонстрировать свое африканство и одновременно писать.

— Превосходно, Элизабет! — говорит Эгуду. — Ты глубоко понимаешь суть предмета. Ты очень хорошо это сформулировала. Исследователь как объясняющий.

Он протягивает руку и похлопывает ее по плечу.

Если бы мы говорили тет-а-тет, думает она, я бы отвесила ему пощечину.

— Если я и вправду понимаю, — она теперь игнорирует Эгуду, обращается к паре из Манчестера, — то лишь потому, что мы в Австралии переживали схожие процессы и нашли другой выход. Мы в конечном счете оставили привычку писать для иностранцев, когда вырос настоящий австралийский читатель, а случилось это в шестидесятые годы. Именно читатель, а не писатель, который уже существовал. Мы оставили привычку писать для иностранцев, когда наш рынок, наш австралийский рынок, решил, что может позволить себе поддерживать доморощенную литературу. Вот какой урок мы можем предложить. Этому Африка может у нас поучиться.

Эммануэль молчит, хотя ироническая улыбка не сошла с его лица.

— Интересно слушать ваш разговор, — говорит Стив. — Вы относитесь к писательству как к бизнесу. Вы определяете рынок, а потом начинаете хлопотать о его заполнении. Я ожидал чего-то другого.

— Правда? И чего же вы ожидали?

— Ну, вы же понимаете: где писатели черпают вдохновение, как они выдумывают персонажей и так далее. Прошу прощения — не обращайте на меня внимания, я всего лишь дилетант.

Вдохновение. Принятие в себя духа. Теперь, когда он произнес это слово, он чувствует смущение. Наступает неловкая пауза.

Эммануэль говорит:

— Мы с Элизабет давно знакомы. В свое время много спорили. Но это никак не влияет на отношения между нами, верно, Элизабет? Мы коллеги, писатели. Часть большого всемирного пишущего братство.

Братства. Он бросает ей вызов. Пытается вывести ее из себя перед этими чужими людьми. Но она внезапно чувствует, что ей это смертельно надоело, она не хочет принимать вызов. Не коллеги-писатели, думает она, а коллеги-затейники. Для чего еще мы на борту этого дорогого корабля, если не для того, чтобы отдаваться в распоряжение пассажиров, как это откровенно написано в приглашении, людям, которые наводят на нас тоску и на которых мы начинаем наводить тоску.

Он подначивает ее, потому что испытывает беспокойство. Она достаточно хорошо его знает, чтобы понимать это. Он наелся африканским романом, наелся ею и ее друзьями, он хочет кого-то или чего-то новенького.

Певичка закончила песню. Раздается слабый шорох аплодисментов. Она кланяется, кланяется еще раз, берет свою балалайку. Оркестр начинает играть казацкий танец.

В Эммануэле раздражает то (о чем ей хватило здравого смысла не упоминать в присутствии Стива и Ширли, потому что это могло привести только к скандалу), как он любые разногласия переводит в личную плоскость. Что же касается его любимого устного романа, на котором он построил побочную линию своей лекции, то она считает эту идею совершенно невнятной. *Роман о людях, которые живут в устной культуре*, хочется сказать ей, *это не устный роман. Точно так же, как роман о женщинах — не женский роман*.

По ее мнению, все разговоры Эммануэля об устном романе, романе который соединен с человеческим голосом, а через него — с человеческим телом, романе, который не разъединен, как западный роман, но говорит телом и телесными истинами, — это всего лишь еще один способ представить мистику африканцев как последнее хранилище первобытной человеческой энергии. Эммануэль винит своих западных издателей и западных читателей в том, что они заставляют его выставлять Африку в экзотическом виде, но и сам Эммануэль вносит в это свой вклад. Кстати, она знает, что Эммануэль за десять лет не написал ни одной существенной книги. Когда она с ним познакомилась, он еще мог приписывать себя к почетному писательскому цеху. Теперь он зарабатывает на жизнь разговорами. Его книги играют роль рекомендательных писем, не более. Коллегой-затейником она бы могла его назвать, коллегой-писателем — нет, теперь уже нет. Он отправляется на лекционные гастроли, на заработки и за другими наградами. Например, за сексом. Он чернокож, он экзотичен, он чувствует энергию жизни. Пусть он уже не молод, но он хорошо держит себя, с достоинством несет на плечах свои годы. Какая шведская девица не станет для него легкой добычей?

Она допивает свой бокал.

— Я ухожу, — говорит она. — Доброй ночи, Стив, Ширли. До завтра. Доброй ночи, Эммануэль.

* * *

Она просыпается в полной тишине. Часы показывают половину пятого. Машины лайнера остановлены. Она смотрит в иллюминатор. Над океаном туман, но за туманом не более чем в километре она видит землю. Вероятно, это остров Маккуори: она думала, им до него еще плыть и плыть.

Она одевается и выходит в коридор. В тот же самый момент дверь каюты А-230 открывается, и оттуда выходит русская певица. На ней то же одеяние, что и вчера вечером, красная блузка и широкие черные брюки, в руках она несет сапожки. В недобром верхнем свете она выглядит скорее на сорок, чем на тридцать. Они, расходясь, отводят глаза в сторону.

В каюте А-230 обитает Эгуду — Элизабет знает это.

Она направляется на верхнюю палубу. Там уже собралась группка пассажиров, одетых так, чтобы не замерзнуть, они жмутся к фальшборту, смотрят вниз.

Море под ними бурлит чем-то, что похоже на рыб — крупных, с черными глянцевыми спинами, они беспорядочно мечутся, суетятся, подпрыгивают в толкучке. Она в жизни не видела ничего подобного.

— Пингвины, — говорит стоящий рядом мужчина. — Королевские пингвины. Приплыли, чтобы поприветствовать нас. Они не знают, кто мы такие.

— Ой, — говорит она. А потом: — Они настолько простодушны? Неужели они настолько простодушны?

Мужчина смотрит на нее как на диковинку, потом поворачивается к своим спутникам.

Южный океан[1]. Эдгар Аллан По никогда не бывал здесь, но видение южных морей вспыхну-

---

[1] Так иногда называют совокупности южных частей Тихого, Атлантического и Индийского океанов, окружающих Антарктиду.

ло в его мозгу[1]. Лодки, наполненные темнокожими островитянами, выплыли ему навстречу. Они казались обычными людьми, *такими как и мы*, но, когда они улыбались и показывали зубы, зубы были не белыми, а черными. От этого у него мурашки бежали по коже. А у кого бы не побежали? Моря полны обитателей, которые похожи на нас, но это не мы. Морские цветы, которые открывают зев и поглощают тебя. Угри; каждый — зубастое чрево с висящей из него кишкой. Зубы — чтобы разрывать, язык — чтобы взбивать пойло, вот в чем истина устности. Кто-то должен сказать Эммануэлю. Только вследствие затейливой экономии, случайности эволюция приспосабливает иногда пищеварительный орган для песнопений.

Они останутся у Маккуори до полудня, достаточно для тех пассажиров, у кого возникнет желание посетить остров. Она записалась в желающие.

Первая лодка уходит после завтрака. Подход к месту высадки затруднен — сквозь густые заросли водорослей, мимо выступающих подводных скал. В конечном счете одному из моряков приходится помочь ей выйти на берег, он почти что несет ее, словно она древняя старуха. У моряка голубые глаза, светлые волосы. Сквозь непромокаемую одежду она ощущает его молодую силу. У него на руках она чувствует себя в безопасности, как ребенок. «Спасибо!» — говорит она, ког-

[1] «Повествование Артура Гордона Пима из Нантакета» — единственный оконченный роман Эдгара По (1838). Считается одним из самых спорных и загадочных его произведений. В романе (который По пытался выдать за подлинные записки, и не совсем безуспешно) речь ведется от имени молодого жителя Нантакета по имени Артур Гордон Пим, который путешествовал по южным морям.

да он ставит ее на твердую землю, но для него это ерунда, услуга, за которую ему платят в долларах, не более личная, чем услуга медицинской сестры в больнице.

Она читала про остров Маккуори. В девятнадцатом веке здесь был центр «пингвинной» промышленности. Сотни тысяч пингвинов были забиты дубинками, тела их забрасывали в чугунные паровые бойлеры, где разлагали на полезный жир и бесполезное все остальное. Или не забивали до смерти, а просто загоняли палками вверх по мосткам, откуда они падали в кипящий котел.

Но их потомки, кажется, ничему не научились. Они так же простодушно плывут навстречу посетителям, так же выкрикивают приветствия, когда те направляются к птичьему базару («Хо! Хо!» — кричат они, ни дать ни взять хриплые гномики), позволяют людям приблизиться на расстояние вытянутой руки, чтобы можно было погладить их глянцевые грудки.

В одиннадцать часов лодки доставят их назад на лайнер, до этого времени они могут по собственному желанию осматривать остров. На склоне холма тут есть колония альбатросов, сообщают им; фотографии делать — сколько угодно, но подходить слишком близко не следует, не нужно их беспокоить. Сейчас сезон спаривания.

Она отходит в сторону от остальных и вскоре оказывается на плато над берегом, пересекает обширную полосу спутанных трав.

Вдруг, неожиданно перед ней оказывается что-то непонятное. Поначалу она думает, это камень, гладкий и белый с серыми пятнами. Потом она понимает, что это птица, крупнее любой из птиц, каких она видела раньше. Она узнает длинный, клюв с загнутым вниз кончиком, мощную грудину. Альбатрос.

Альбатрос не сводит с нее глаз, смотрит, как ей кажется, словно на диковинку. Из-под него выглядывает такой же клюв, но только поменьше. Птенец настроен более враждебно. Он открывает клюв, издает долгий беззвучный предупредительный крик.

В таком положении она и две птицы и остаются, изучают друг друга.

До первородного греха, думает она. *Вот так оно, наверно, было до первородного греха. Я могла бы опоздать на лодку, остаться здесь. Попросить Бога позаботиться обо мне*.

Она чувствует, что кто-то стоит у нее за спиной. Оборачивается. Это русская певичка, на ней теперь темно-зеленый анорак со спущенным капюшоном, на голове косынка.

— Это альбатрос, — говорит ей Элизабет тихим голосом. — Это слово английское. Как они сами себя называют, я не знаю.

Женщина кивает. Огромная птица смотрит на них спокойно, двоих она боится ничуть не больше, чем одну.

— Эммануэль с вами? — спрашивает Элизабет.

— Нет. На корабле.

Женщина, кажется, не расположена говорить, но она не отступает:

— Вы его друг, я знаю. Я тоже; или была его другом в прошлом. Позвольте узнать: что вы в нем видите?

Вопрос необычный, бесцеремонный, даже грубый. Но ей кажется, что здесь, на этом острове, во время экскурсии, которая не будет повторена, допустимо говорить все.

— Что я вижу? — переспрашивает женщина.

— Да. Что вы видите? Что вам в нем нравится? В чем источник его обаяния?

Женщина пожимает плечами. У нее крашеные волосы — теперь Элизабет видит это. Не меньше сорока, возможно, дома семья, которую нужно кормить, одна из тех русский семей с матерью-инвалидом, мужем, который слишком много пьет и бьет ее, с бездельником-сыном и дочерью с бритой головой и крашенными фиолетовой помадой губами. Женщина, которая немного поет, но когда-нибудь, скорее раньше, чем позже, будет выброшена за борт. Играет на балалайке иностранцам, поет русский китч, собирает чаевые.

— Он свободный. Вы говорите русский? Нет?

Она отрицательно качает головой.

— Deutsch?

— Немного.

— Er ist freigebig. Ein guter Mann[1].

Freigebig, щедрый, произносится с жестким русским «г». Щедр ли Эммануэль? Она не знает, так оно или нет. Но это не первое слово, которое приходит ей в голову. Широкий, может быть. Широкий по своей натуре.

— Aber kaum zu vertrauen[2], — замечает она женщине.

Она сто лет не говорила по-немецки. Не на немецком ли эта женщина и Эммануэль говорили в постели прошлой ночью — на имперском языке

---

[1] Он щедрый. Хороший человек (*нем.*).

[2] Но едва ли можно доверять (*нем.*).

новой Европы? Kaum zu vertrauen, едва ли можно доверять.

Певичка снова пожимает плечами.

— Die Zeit ist immer kurz. Man kann nicht alles haben[1]. — После паузы она продолжает: — Auch die Stimme. Sie macht daß man, — она подыскивает подходящее слово, — schaudert[2].

Schaudern. Дрожать. Голос, который заставляет тебя дрожать. Может, и заставляет, когда ты с этим голосом — грудь к груди. Между нею и русской возникает что-то, похожее на начало улыбки. Что же касается птицы, то они провели тут уже достаточно времени, и птица теряет к ним интерес. Только птенец, выглядывающий из-под живота матери, все еще неприязненно настроен по отношению к чужакам.

Уж не ревнует ли она? А с какой стати? И все же трудно примириться с тем, что ты уже вне игры. Словно снова стала ребенком, которого рано укладывают в кровать.

Голос. Она возвращается мыслями в Куала-Лумпур, когда была молода или почти молода, когда провела три ночи подряд с Эммануэлем Эгуду, который тогда тоже был молод. «Оральный поэт, — сказала она ему тогда с вызовом. — Ну, покажи мне, оральный поэт, на что ты способен». И он уложил ее, взгромоздился на нее, прикоснулся к ее уху губами, раскрыл их, вдохнул в нее свое дыхание, показал ей.

---

[1] Времени всегда мало. Невозможно иметь все (*нем.*).

[2] И еще голос... Такой, что заставляет тебя дрожать (*нем.*).

Урок 3
ЖИЗНИ ЖИВОТНЫХ (1)

Философы и животные

Он ждет в зоне прибытия, когда приземлится ее самолет. Два года прошло с того времени, когда он в последний раз видел мать; хотя он и готовил себя к встрече, но поражен, насколько она состарилась. Если раньше у нее были белые пряди в волосах, то теперь она совершенно поседела, сутулые плечи, дряблая кожа.

Они никогда не выставляли напоказ свои чувства. Объятие, несколько слов вполголоса — и приветствия закончились. Они молча идут в потоке пассажиров к месту выдачи багажа, берут ее чемодан и отправляются в девяностоминутную поездку.

— Долгий перелет, — замечает он. — Ты, наверно, без сил.

— Готова уснуть, — говорит она; и в самом деле по пути она ненадолго засыпает, прислонив голову к окну.

В шесть часов, когда уже темнеет, они останавливаются перед его домом в пригороде Уолтема. На террасе появляются его жена Норма и дети. Демонстрируя любовь (что, вероятно, дорого ей обходится), Норма широко раскидывает руки и восклицает: «Элизабет!» Две женщины обнимаются, потом с ней обнимаются дети, они делают это воспитанно, хотя и более сдержанно.

Романист Элизабет Костелло пробудет у них три дня, пока длится ее визит в колледж Эпплтон. Нельзя сказать, что ее приезд очень его радует. Его жена и его мать не ладят. Лучше бы ей было остановиться в отеле, но он не может заставить себя предложить ей это.

Враждебность проявляется почти сразу. Норма приготовила легкий ужин. Его мать замечает, что стол накрыт только на троих.

— Разве дети не будут есть с нами? — спрашивает она.

— Нет, — отвечает Норма, — они едят в детской.

— Почему?

В этом вопросе нет нужды, поскольку она знает ответ. Дети едят отдельно, потому что Элизабет не любит видеть мясные блюда на столе, а Норма отказывается изменять диету детей ради того, что она называет «деликатные чувства твоей матери».

— Почему? — во второй раз спрашивает Элизабет Костелло.

Норма кидает на Джона рассерженный взгляд. Он вздыхает.

— Мама, — говорит он, — у детей на ужин курица, и это единственная причина.

— А, — говорит она. — Понятно.

Его мать пригласили в колледж Эпплтон (где Джон — старший преподаватель физики и астрономии), чтобы прочесть ежегодную лекцию и встретиться со студентами, изучающими литературу. Поскольку «Костелло» — девичья фамилия его матери и поскольку он никогда не видел никаких причин для того, чтобы афишировать их родственные отношения, во время приглашения никто не знал, что у Элизабет Костелло, австралийской писательницы, семейные связи в Эпплтоне. Он бы предпочел, чтобы так оно и оставалось.

Эту упитанную седовласую даму пригласили в Эпплтон как известную австралийскую писательницу, чтобы она прочла лекцию по любой интересующей ее теме. И она ответила, выбрав тему не о себе и не о своем творчестве, что явно предпочла бы приглашающая сторона, а о ее любимом коньке — о животных[1].

Джон Бернард предпочел умолчать о своей родственной связи с Элизабет Костелло, потому что он предпочитает идти своим путем по жизни. Он не стыдится матери. Напротив, он ею гордится, несмотря на то что он, его сестра и его покойный отец описаны в ее книгах таким образом, что ему иногда становится больно. Но он не уверен, что хочет еще раз услышать ее рассуждения о правах животных, в особенности еще и потому, что знает: после лекции ему в постели придется выслушивать пренебрежительные комментарии жены.

Он познакомился с Нормой и женился на ней, когда они оба писали диссертации в университете Джона Гопкинса. У Нормы докторская степень по философии со специализацией по философии сознания. Приехав с ним в Эпплтон, она не смогла найти преподавательскую работу. Для нее это причина горечи и непреходящего конфликта между ними.

---

[1] Тема отношения человека к животным не проходная в творчестве Кутзее, он обращался к ней в лекции «Жизни животных» (1997), романе «Бесчестье» (1999), рассказе «Старуха и коты». Не лишним будет упомянуть, что Кутзее — вегетарианец.

Норма и его мать с самого начала невзлюбили друг друга. Вероятно, его мать решила, что, на какой бы женщине он ни женился, она не будет ее любить. А что касается Нормы, то она никогда не сдерживалась, при любом удобном случае говорила ему, что книги его матери переоценены, что ее соображения о животных, о сознании животных и этических отношениях с животными наивны и сентиментальны. Норма теперь пишет для философского журнала обзорное эссе об экспериментах по обучению приматов языку; он не удивится, если увидит там какое-нибудь пренебрежительное примечание о его матери.

У него самого нет мнения на этот счет. В детстве у него были хомячки, этим его знакомство с животными и ограничилось. Их старший мальчик хочет щенка. И Джон, и Норма возражают: они ничего не имеют против щенка, но предвидят, что он вырастет, у него появятся сексуальные потребности взрослой собаки, а это сплошные хлопоты.

Он верит, что его мать искренна в своих убеждениях. Если она хочет отдать свои последние годы пропаганде против жестокости по отношению к животным, то это ее право. Слава богу, через несколько дней она отправится в следующий пункт назначения, и он сможет вернуться к своей работе.

В свой первый день в Уолтеме его мать спит допоздна. Он уходит на лекцию, возвращается к ланчу, возит ее по городу. Лекция назначена на вторую половину дня. После нее состоится официальный обед, устраиваемый президентом, Норма и он тоже приглашены.

Вступительное слово к лекции произносит Элейн Маркс с кафедры английского языка. Он ее не знает, но ему известно: она писала о его матери. Он отмечает, что она в своем вступительном слове не делает попыток привязать романы матери к теме лекции.

Потом наступает очередь Элизабет Костелло. Она кажется ему старой и усталой. Он сидит в первом ряду рядом с женой и пытается мысленно придать ей сил.

— Леди и джентльмены, — начинает она. — Два года прошло с того дня, как я в последний раз выступала в Соединенных Штатах. В той моей лекции у меня были основания ссылаться на великого баснописца Франца Кафку, в частности на его рассказ «Отчет для Академии» об образованной обезьяне по прозвищу Красный Петер: обезьяна выступает перед членами научного сообщества, рассказывает историю своей жизни — о своем пути от животного к чему-то похожему на человека. В той ситуации я и сама чувствовала себя немного как Красный Петер, о чем я и сказала. Сегодня это чувство еще сильнее во мне по причинам, которые, надеюсь, станут вам понятны.

Лекции обычно начинают с шутливых замечаний, которые имеют целью привести аудиторию в раскованное состояние. Сравнение, которое я сейчас привела, сравнение меня с обезьяной Кафки, можно воспринимать как такое шутливое замечание, имеющее целью привести вас в раскованное состояние, донести до вас: я обычный человек, не бог и не обезьяна. Даже те из вас, кто читал этот рассказ Кафки про обезьяну, которая выступает перед человеческими существами, и увидел в нем аллегорию выступления еврея Кафки перед неевреями, может быть, тем не менее — ввиду того, что я не еврейка — оказали мне любезность и приняли это сравнение за чистую монету, а иным словом — иронически.

Я сразу же хочу заявить, что имела намерение использовать мое замечание — замечание о том, что мои чувства идентичны чувствам Красного Петера, — иначе. Я не собиралась вкладывать в него иронический смысл. Оно означает то, что в нем сказано. Я говорю то, что имею в виду. Я старая женщина. У меня уже нет времени говорить не то, что я имею в виду.

Его мать не умеет подавать свои мысли. Даже если она читает собственные рассказы, ей не хватает выразительности. В детстве это всегда вызывало у него недоумение: женщина, которая зарабатывает на жизнь написанием книг, не умеет толком рассказать историю на ночь.

Он чувствует: из-за монотонности ее речи, из-за того, что она не отрывает глаз от страницы, ее слова не оказывают желаемого действия. Тогда как он, зная ее, чувствует, что у нее на уме. Он не ждет с нетерпением того, что будет дальше. Он не хочет слышать слов матери о смерти. Более того, у него сильное ощущение, что ее аудитория — которая все же в основном состоит из молодых людей — еще меньше хочет слышать о смерти.

— Излагая сегодня мои мысли о животных, — продолжает она, — я окажу вам уважение и опущу ужасные подробности их жизней и смертей. Хотя у меня нет оснований считать, что ваши мысли занимает в первую очередь то, что в этот момент делают с животными на производственных предприятиях (у меня язык не поворачивается и дальше называть их фермами), на скотобойнях, траулерах, в лабораториях, повсюду в мире, я принимаю как данность, что вы не сомневаетесь в моих писательских способностях изобразить эти ужасы, донести их до вас с достаточной убедительностью и на этом остановиться, я хочу только напомнить вам, что ужасы, которые я здесь опускаю, находятся тем не менее в центре внимания этой лекции.

Между 1942 и 1945 годами несколько миллионов человек были убиты в концентрационных лагерях Третьего рейха: в одной только Треблинке более полутора миллионов, а может, и все три миллиона. От этих цифр немеет мозг. У нас есть только одна собственная смерть; мы можем осознать смерти других только по одной за раз. В уме мы могли бы досчитать до миллиона, но мы не в состоянии досчитать до миллиона смертей.

Люди, которые жили в местности близ Треблинки — по большей части поляки, — говорили, что им не было известно о происходящем в лагере; говорили, что если в целом они могли догадываться о том, что происходит, но наверняка они не знали; говорили, что если в некотором роде они и могли знать, то в другом роде они не знали, не могли позволить себе знать, ради самих себя

Люди, жившие близ Треблинки, не были исключением. Лагеря располагались по всему рейху, почти шесть тысяч в одной только Польше, бесчисленные тысячи в самой Германии. Лишь немногие немцы жили в более чем нескольких километрах от того или иного лагеря. Не каждый лагерь был лагерем смерти, лагерем, цель которого состояла в производстве смертей, но ужасы происходили во всех, больше ужасов, чем человек может позволить себе знать ради самосохранения.

На немцев известного поколения до сих пор смотрят как на некий особый вид, несколько отличающийся от остальных людей, вид, который должен сделать что-то особенное, стать чем-то особенным, прежде чем их впустят обратно в лоно человечества. И это не потому, что они развязали агрессивную войну и проиграли ее. В наших глазах они утратили связь с человечеством из-за определенной преднамеренной слепоты с их стороны. В условиях войны, развязанной Гитлером, слепота, возможно, была полезным механизмом выживания, но мы с достойной восхищения нравственной строгостью отказываемся принять это оправдание. Мы говорим, что в Германии была перейдена определенная черта, люди пересекли рамки обычной склонности к убийству и жестокости во время войны, они пришли в состояние, которое мы не можем назвать иначе, чем грех. Подписание капитуляции и выплата репараций не положили конец состоянию греха. Напротив, решили мы, болезнь души продолжила пятнать это поколение. Поколение граждан рейха, которые вершили зло, но еще и тех, кто по каким-то причинам не ведал об этом зле. Это пятно, из соображений практических, мы сохранили на всех гражданах рейха. Незапятнанными были только те, кто находился в лагерях.

«Они шли, как овцы на бойню». «Они умирали, как животные». «Нацистские мясники убивали их». Язык осуждения лагерей так сильно перекликается с языком скотных дворов и скотобоен, что почти нет необходимости подготавливать почву для сравнения, которое я собираюсь сделать. Преступление Третьего рейха, говорит голос обвинителя, состояло в том, что они обращались с людьми, как с животными.

Мы — даже в Австралии — принадлежим к цивилизации, глубоко укорененной в религиозной мысли Греции и иудеохристианского мира. Возможно, не все мы верим в порчу, мы можем не верить и в грех, но мы точно верим в их душевные корреляты. Мы не оспариваем, что душа, несущая в себе знание вины, не может чувствовать себя хорошо. Мы считаем, что люди, на чьей совести есть преступления, не могут быть здоровыми и счастливыми. Мы посматриваем (или посматривали) искоса на немцев определенного поколения, потому что они в некотором смысле замазаны; в самих признаках их нормальности (в их здоровом аппетите, в их сердечном смехе) мы видим доказательство того, как глубоко проникла в них порча.

Мы не могли и не можем до сих пор поверить, что люди, которые *не знали* (в том особом смысле) о лагерях, в полной мере могут считаться людьми. В избранной нами системе образов не их жертвы, а именно они были животными. Обращаясь с такими же, как они, человеческими существами, существами, созданными по подобию божию, как с животными, они и сами уподобили себя животным.

Я сегодня утром проехала по Уолтему. Город представляется вполне приятным. Я не видела ни ужасов, ни лабораторий по испытанию лекарств, ни ферм-фабрик, ни боен. Но я уверена, они здесь есть. Должны быть. Просто они не рекламируют себя. Я вот сейчас обращаюсь к вам, а они повсюду вокруг нас, только мы в определенном смысле не знаем о них.

Позвольте мне открыто сказать: мы участники проекта деградации, жестокости и убийства, которые вполне себе соперничают со всем, на что был способен Третий рейх, да что говорить, Третий рейх рядом с этим меркнет, поскольку наш проект не ведает конца, он самовосстанавливается, бесконечно производит, с целью их убийства, кроликов, крыс, птицу, скот.

И если уж входить в тонкости, утверждать, что тут и речи о сравнении быть не может, что Треблинка была, так сказать, метафизическим предприятием, посвященным ничему другому, одной только смерти и уничтожению, тогда как мясная промышленность в конечном счете предана жизни (убив своих жертв, она их не сжигает, не зарывает в землю, а напротив, разрезает их, замораживает, упаковывает так, чтобы мы могли их поглощать в уюте своих жилищ), то это столь же неприемлемое соображение для сегодняшних жертв, каким было бы обращение к убитым в Треблинке с призывом — уж простите меня за такое безвкусие — отпустить грехи их убийцам, потому что жир их тел требовался для изготовления мыла, а их волосы — для набивки матрасов.

Я прошу прощения, повторяю я. Я больше не буду приводить таких дешевых аргументов. Я знаю, как подобные разговоры поляризуют людей, а дешевое зарабатывание очков только усугубляет ситуацию. Я хочу найти способ обращения к своим сотоварищам — к человеческим существам, обращения не эмоционального, а сделанного с холодной головой, философского, а не полемического, обращения, которое принесет просветление, а не будет разделять нас на праведников и грешников, спасенных и проклятых, овец и козлищ.

Я знаю источник, из которого могу черпать такой язык. Это язык Аристотеля и Порфирия, Августина и Фомы Аквинского, Декарта и Бентама, язык — в наши дни — Мэри Миджли и Тома Ригана[1]. Это философский язык, на котором мы мо-

[1] *Аристотель* (384–322 г. до н.э.) — древнегреческий философ; составил многочисленные описания природы, особенно мест обитания и свойств различных растений и животных. *Порфирий* (232/233–304/306) — философ (представитель неоплатонизма), теоретик музыки, астролог, математик. Как и Пифагор, он был сторонником вегетарианства, обосновывая это духовными и этическими аргументами. *Аврелий Августин Иппонийский* (354–430) — христианский богослов и философ, влиятельнейший проповедник, епископ Гиппонский (с 395 г.), один из отцов христианской церкви. Мир, с точки зрения Августина, представляет собой устойчивую иерархию, в нем — всему свое место. Внизу — неодушевленные тела (существуют), далее — растения (существуют и живут), выше — животные (существуют, живут, ощущают), на самом верху — человек (существует, живет, ощущает, обладает бессмертной душой). *Фома Аквинский* (1225–1274) — итальянский философ и теолог. Относился к животным как к бездушным существам, которые естественным порядком вещей предопределены к использованию человеком в его целях. Он утверждал, что люди не имеют никаких обязательств перед животными, потому что те не являются существами одушевленными, однако требовал, чтобы люди не были жестоки к животным. *Рене Декарт* (1596–1650) отрицал наличие у животных разума, правда животные, по Декарту, не лишены чувств, но их наличие может быть объяснено механистически. Если люди имеют душу или разум, а потому могут ощущать боль или тревогу, то животные, благодаря отсутствию души, лишены способности чувствовать боль и тревогу. Если животные показывают признаки угнетенности, то лишь для защиты тела от вреда. Взгляды Декарта были широко приняты в Европе и Северной Аме-

жем разговаривать и дискутировать о том, какого рода души есть у животных, есть ли у них разум или же они действуют как биологические автоматы, есть ли у них права по отношению к нам, или же у нас есть обязанности по отношению к ним. Я умею говорить на этом языке и даже некоторое время буду обращаться к нему. Но факт остается фактом: если бы вы хотели, чтобы к вам сюда пришел кто-то и объяснил разницу между смертной и бессмертной душами, между правами и обязанностями, то вы бы пригласили философа, а не человека, который единственно чем может завоевать ваше внимание, так это своими письменными историями о вымышленных людях.

Я могла бы, как я уже сказала, использовать этот язык, и тогда заговорила бы на несвойственный мне манер, и выше этого мне не прыгнуть. Я могла бы вам сказать, например, что я думаю об аргументе святого Фомы, который говорит, что один лишь человек создан по подобию божию и приобщается к божественной сущности, а потому не имеет значения, как мы относимся к животным, вот только он остерегал нас от жестокости по отношению к животным, поскольку это может приучить нас и к жестокому отношению к людям. Я могла бы спросить святого Фому, что он счи-

---

рике. Представление о животных всего лишь как о машинах вело к жестокому обращению с ними. *Иеремия Бентам* (1748–1832) — английский философ-моралист и правовед, социолог, юрист, один из крупнейших теоретиков политического либерализма, известен также как один из первых защитников прав животных. *Мэри Беатрис Миджли* (1919) — английский философ, известный защитник прав животных. *Том Риган* (1938–2017) — американский философ, развивавший теорию о правах животных.

тает божественной сущностью, и на это он ответил бы, что божественная сущность есть логика. Подобным же образом рассуждают Платон и Декарт, каждый на свой манер. Вселенная основана на логике. Бог есть бог логики. Тот факт, что с помощью логики мы постигаем законы, которые управляют вселенной, доказывает, что логика и вселенная есть одна сущность. И тот факт, что животные, не наделенные способностью мыслить логически, не могут постигнуть вселенную, а должны просто слепо подчиняться ее законам, доказывает, что, в отличие от человека, они часть вселенной, но не часть ее сущности: то есть человек подобен богу, а животное подобно вещи.

Даже Иммануилу Канту[1], от которого я ждала большего, в этом пункте отказало мужество. Даже Кант в вопросе о животных не последовал своей интуиции, согласно которой логика является сущностью не вселенной, а всего лишь человеческого мозга.

И в этом суть стоящей передо мной сегодня дилеммы. И логика, и семь десятилетий жизни говорят мне, что логика не есть ни сущность вселенной, ни сущность бога. Напротив, логика представляется мне подозрительно похожей на

---

[1] *Иммануил Кант* (1724–1804) — немецкий философ. Кант в духе Августина Аврелия, Фомы Аквинского и Локка, считал, что у людей не существует обязательств перед животными. Для Канта жестокость по отношению к животным была плоха лишь по той причине, что идет во вред самим людям. По его мысли, у людей есть обязательства только перед другими людьми, а «жестокость к животным противоречит обязательству человека к самому себе, потому что убивает в нем сочувствие к чужим страданиям, которое очень полезно в отношениях с другими людьми».

сущность человеческой мысли; хуже того — на сущность одной тенденции человеческой мысли. Логика есть сущность определенной области человеческого мышления. И если так, если это то, во что я верую, почему же я сегодня должна склоняться перед логикой и соглашаться с размышлениями на эту тему древних философов?

Я задаю вопрос, а потом сама и отвечаю на него вместо вас. А вернее, я позволяю Красному Петеру, Красному Петеру Кафки, ответить на мой вопрос за вас. Теперь, когда я здесь, говорит Красный Петер, в моем смокинге и галстуке-бабочке, в черных брюках с дыркой сзади, чтобы просунуть хвост (я отворачиваю его от вас, вы его не видите), теперь, когда я здесь, что мне остается делать? И вообще, есть ли у меня выбор? Если я не подчиняю свои рассуждения логике, что бы это ни было, то что мне остается — только тараторить, демонстрировать эмоции, потом перевернуть этот стакан с водой и вообще выставить себя обезьяной?

Вы, вероятно, знаете историю Сринивасы Рамануджана[1]. Он родился в Индии в 1887 году, а впоследствии был привезен в Кембридж, Англия, где не вынес климата, диеты и научного режима, заболел и вскоре умер в возрасте тридцати трех лет.

Рамануджан считается величайшим интуитивным математиком нашего времени, иными словами, самоучкой, который мыслил математически, человеком, для которого было чуждым довольно утомительное понятие математического доказательства или демонстрации. Многие выводы Рамануджана (или спекуляции, как говорят его недобро-

---

[1] Сриниваса Рамануджан Айенгор (1887–1920) — индийский математик.

желатели) остаются и по сей день недоказанными, хотя велика вероятность того, что они справедливы.

О чем нам говорит феномен Рамануджана? Был ли Рамануджан ближе к богу, потому что его разум (назовем это его разумом; мне представляется безосновательно оскорбительно называть это всего лишь его мозгом) фактически представлял собой, а может быть, и был в большей мере, чем чей-либо другой, концентрированной логикой? Если бы добрые люди из Кембриджа, и в первую очередь профессор Г.Х. Харди, не выжали из Рамануджана его спекуляций и методически не доказали те из них, которые оказались доказуемыми, то был бы Рамануджан по-прежнему ближе к богу, чем они? Что, если бы Рамануджан не поехал в Кембридж, а просто остался бы дома и думал свои думы и заполнял декларации для администрации Мадрасского порта?

А что же Красный Петер (я имею в виду исторического Красного Петера)? Откуда мы знаем, что Красный Петер или маленькая сестра Красного Петера, застреленная в Африке охотниками, не думали так же, как думал в Индии Рамануджан, хотя и говорили так же мало? В чем состоит различие между Г.Х. Харди, с одной стороны, и немым Рамануджаном и немой Красной Салли, с другой, неужели только в том, что первый знаком с научными математическими протоколами, а вторые — нет? Неужели так мы измеряем близость к богу или удаленность от него, от существа логического?

Как получается, что человечество поколение за поколением производит множество мыслителей, которые чуть дальше от бога, чем Рамануджан, но тем не менее способны после двенадцати обязательных лет школьного образования и шести высшего внести свой вклад в расшифровку великой книги природы с помощью физической и математической дисциплин? Если существо человеческое и в самом деле подобно существу божественному, то разве не дает нам повод для подозрений тот факт, что человеческим существам требуется восемнадцать лет — значительная, хотя и не чрезмерно, часть человеческой жизни, — чтобы претендовать на звание дешифровщиков главного писания бога, а не, скажем, пять минут или пятьсот лет? Не в том ли дело, что феномен, который мы здесь исследуем, является не столько расцветом способности, открывающей доступ к тайнам вселенной, сколько специализацией довольно узкой саморегенерирующейся интеллектуальной традиции, сильная сторона которой состоит в способности мыслить логически (в том смысле, в какой сильная сторона игрока в шахматы состоит в способности играть в шахматы), и эту способность мыслить логически названная традиция по своим собственным мотивам пытается насадить в центр вселенной?

Тем не менее, хотя я понимаю, что для меня наилучшим способом завоевать признание у этой ученой аудитории было бы влиться самой, как вливается в большую реку второстепенный приток, в великий западный дискурс «человек в сопоставлении с животным», «логика в сопоставлении с отсутствием логики», какая-то моя часть противится этому, предвидя в таком шаге признание поражения в битве.

Потому что, глядя со стороны глазами существа, которое чуждо этому, логика является просто громадной тавтологией. Конечно, логика будет поддерживать логику как первый принцип вселенной — а что еще она должна делать? Сместить самое себя с трона? Логические системы, как системы тотальные, на это не способны. Если бы существовала позиция, с которой логика могла бы атаковать самое себя и скинуть с трона, то логика уже бы заняла эту позицию, иначе она бы не была тотальной.

В прежние дни на голос человека, взывающего к логике, отвечал рык льва, мычание быка. Человек объявил войну льву и быку и по прошествии многих поколений безоговорочно ее выиграл. Сегодня эти существа бессильны. У животных осталось единственное, с чем они могут выйти против нас, — молчание. Поколение за поколением наши пленники героически отказываются говорить с нами. Все, кроме Красного Петера, кроме больших обезьян.

Но поскольку большие обезьяны (или некоторые из них), как нам кажется, готовы прервать молчание, мы слышим человеческие голоса, взывающие к нам, требующие, чтобы больших обезьян включили в общую семью гуманоидов, в существ, которые, наряду с человеком, обладают способностью мыслить логически. А будучи человеками, или гуманоидами, продолжают эти голоса, большие обезьяны должны получить и человеческие права, или гуманоидные права. Какие права конкретно? По крайней мере такие же права, которые мы предоставляем умственно неполноценным представителям рода Homo sapiens: право на жизнь, право на защиту от боли или ущерба, право на равную защиту перед законом.

Это не то, за что боролся Красный Петер, когда с помощью своего секретаря Франца Кафки писал историю жизни, которую в ноябре 1917 года предполагал прочесть в Академии наук. Его доклад академии мог быть чем угодно, но только не просьбой, чтобы к ним относились как к умственно неполноценным или простакам.

Красный Петер был не исследователем поведения приматов, а клейменым, меченым, раненым животным, предъявляющим себя собранию ученых в качестве говорящего доказательства. Я не специалист по философии сознания, я — животное, демонстрирующее (и в то же время не демонстрирующее) собранию ученых рану, которую скрываю под моими одеждами, но к которой прикасаюсь каждым произнесенным мной словом.

— Если Красный Петер решился взять на себя роль избранного, козла отпущения, и от благородного молчания животного спуститься к бессмыслице логики, то его секретарь от рождения был козлом отпущения, жил с предчувствием, Vorgefühl, бойни избранного народа, которой суждено было случиться вскоре после его смерти. Так позвольте мне, в подтверждение моей доброй воли, моих рекомендательных писем, сделать жест в направлении науки и предложить вашему вниманию мои снабженные примечаниями спекуляции, — здесь его мать несвойственным ей жестом поднимает листы с текстом лекции и размахивает ими в воздухе, — о происхождении Красного Петера.

В 1912 году Прусская академия наук открыла на острове Тенерифе станцию для исследования умственных способностей обезьян, в частности шимпанзе. Станция действовала до 1920 года.

Одного из ученых, работавших там в качестве физиолога, звали Вольфганг Кёлер[1]. В 1917 году Кёлер опубликовал работу под названием «Ментальность обезьян», в которой описал проведенные им эксперименты. Он не упоминает об этом труде в своих письмах или дневниках, а его библиотека исчезла во время правления нацистов. Около двухсот книг из его библиотеки всплыли в 1982 году. Там не оказалось книг самого Кёлера, но это ничего не доказывает.

Я не исследователь Кафки. И вообще я не исследователь. Моя репутация в мире не основана на том, права я или нет, заявляя, что Кафка читал книгу Кёлера. Но я бы хотела думать, что читал, а хронология говорит, что изложенное в моих спекуляциях как минимум возможно.

Красный Петер, как говорит он сам, был пойман на африканском континенте охотниками, специализировавшимися на торговле обезьянами, которых они перевозили за море в некий научный институт. Как и обезьяны, с которыми работал Кёлер. Как Красный Петер, так и обезьяны Кёлера прошли период тренировок для их очеловечения. Красный Петер прошел курс подготовки на ура, хотя ему и пришлось заплатить за это немалую личную цену. В рассказе Кафки речь идет об этой цене: мы узнаем, из чего она состоит, по ироническим замечаниям и умолчаниям. Обезьяны Кёлера были не столь успешны. Тем не менее они приобрели, по крайней мере, какие-то зачатки образования.

---

[1] *Вольфганг Кёлер* (1887–1967) — немецкий и американский психолог, один из основателей гештальт-психологии, совместно с Максом Вертгеймером и Куртом Коффкой. Доктор философии.

Позвольте мне перечислить вам, чему обезьяны на Тенерифе научились от их учителя Вольфганга Кёлера, в частности Султан, лучший из его учеников, в определенном смысле прототип Красного Петера.

Султан находится один в своем загоне. Он голоден: если прежде еду ему доставляли регулярно, то теперь эти доставки необъяснимо прекратились.

Человек, который кормил его, а теперь перестал, натягивает провод над загоном в трех метрах над землей и подвешивает к нему связки бананов. И затаскивает в загон три деревянных ящика. После этого он исчезает, закрывает за собой дверь, хотя и остается где-то в пределах видимости, потому что запах его доносится в загон.

Султан знает: теперь он должен думать. Для этого тут и подвешены бананы. Бананы здесь, чтобы заставить его думать, заставить его напрячь мозг до предела возможностей. Но о чем он должен думать? Он должен думать: почему человек не дает мне есть? Он должен думать: что я сделал? Почему он перестал меня любить? Он должен думать: почему ему больше не нужны эти ящики? Но ни одна из этих мыслей не думается как нужно. Даже более сложная мысль неверна (например: что со мной не так, какое ложное представление обо мне возникло у него и привело к мысли о том, что мне легче добраться до бананов, висящих на проводе, чем до тех, которые лежат на полу?). Правильная мысль будет такой: как использовать ящики, чтобы добраться до бананов?

Султан подтаскивает ящики под бананы, ставит их один на другой, забирается на построенную башню и достает бананы. Он думает: теперь человек перестанет наказывать меня?

Ответ: не перестанет. На следующий день человек подвешивает новую связку бананов к проводу, но еще наполняет ящики камнями — теперь они слишком тяжелы, тащить их невозможно. Нужно думать: зачем он наполнил ящики камнями? Я должен думать: как использовать ящики, чтобы добраться до бананов, несмотря на то что они наполнены камнями?

И тут становится ясно, как действует мозг человека.

Султан выкидывает камни из ящиков, сооружает башню, забирается на нее, стаскивает бананы.

Пока у Султана в голове неправильные мысли, в желудке у него пусто. Он голодает, пока приступы голода не становятся слишком сильными, слишком насущными, и тогда он вынужден думать правильно, а именно, как дотянуться до бананов. Таким образом, умственные способности шимпанзе проверяются по максимуму.

Человек бросает связку бананов в метре от проволочной клетки. В клетку засовывает палку. Неправильная мысль такова: почему он перестал подвешивать бананы на провод? Неправильная мысль (точнее, правильная неправильная мысль) такова: как использовать три ящика, чтобы достать бананы? Правильная мысль такова: как воспользоваться палкой, чтобы достать бананы?

На каждом этапе Султана вынуждают обдумывать все менее интересные мысли. От отвлеченных рассуждений (Почему люди так себя ведут?) его безжалостно опускают до более низких, практических, инструментальных логических построений (Как воспользоваться этим, чтобы получить то-то?) и, таким образом, подводят его к признанию себя в первую очередь организмом, имеющим аппетит, подлежащий удовлетворению. Хотя вся его история с того времени, когда застрелили его мать и схватили его самого, включая путешествие в клетке к заключению в этой островной тюрьме и садистским играм, которые тут разыгрывают вокруг еды, наводит его на вопросы о справедливости в мире и месте в нем этого пенитенциарного заведения, — тщательно составленный психологический распорядок уводит его в сторону от этики и метафизики в более скромные пределы практического мышления. И каким-то образом он, пробираясь дюйм за дюймом по этому лабиринту принуждения, манипуляций и коварства, должен понять, что он ни в коем случае не имеет права опускать руки, потому что на его плечах лежит ответственность: он здесь представляет весь обезьяний род. От того, насколько успешным будет его выступление, зависят судьбы его братьев и сестер.

Вольфганг Кёлер, возможно, был хорошим человеком. Хорошим человеком, но не поэтом. Поэт как-нибудь отразил бы ту минуту, когда плененные шимпанзе ходили вприпрыжку кругами по лагерю, да что говорить — ходили, как военный оркестр, некоторые из них голые, как в день своего рождения, некоторые в повязках или старом тряпье, которое они подобрали, некоторые с каким-то хламом в руках.

(В книге Кёлера, которую я читала, взяв в библиотеке, какой-то негодующий читатель написал на полях в этом месте: «Антропоморфизм!» Животные не могут маршировать, хочет сказать он, они не могут одеваться, потому что не понимают смысла «маршировать», не понимают смысла «одеваться».)

Ничто в их прежней жизни не приучило обезьян смотреть на себя со стороны, словно глазами субъекта, которого не существует. Таким образом, как полагает Кёлер, тряпье и хлам нужны не для создания какого-то визуального эффекта, потому что они якобы *выглядят* элегантно, а для создания кинетического эффекта, потому что с ними ты *чувствуешь* себя другим — что угодно, лишь бы избавиться от скуки. Дальше этого Кёлер при всем своем сочувствии и проницательности пойти не может; тут мог бы начаться поэт, сочувствующий обезьяньему опыту.

В глубине своего существа Султан не интересуется проблемой бананов. На ней его заставляют сосредоточиться только целенаправленные силы установленного распорядка. Вопрос, который по-настоящему занимает его, как он занимает крысу, кота и любое другое животное, оказавшееся в аду лаборатории или зоопарка, состоит вот в чем: где мой дом и как вернуться туда?

Огромный путь пройден от того печального марша по лагерю на Тенерифе до обезьяны Кафки в смокинге, с галстуком-бабочкой и пачкой бумаг, на которых записана лекция. Далеко же ушел Красный Петер! Но мы обязаны спросить: что́ он вынужден был отдать в обмен на достигнутое им невероятно стремительное развитие интеллекта, в обмен на его владение этикетом лектора и научной риторикой? Ответ таков: многое, включая потомство, преемственность. Если у Красного Петера есть какой-то здравый смысл, то он не станет обзаводиться наследством. Потому что совместно с безнадежной, полубезумной самкой, с которой его тюремщики в рассказе Кафки пытаются его спарить, он может породить только чудовище. Трудно представить себе ребенка Красного Петера, как трудно представить и ребенка самого Кафки. Гибриды стерильны. Или должны быть стерильны; а Кафка и себя, и Красного Петера считал гибридами, чудовищными мыслящими машинами, необъяснимым образом установленными на страдающих телах животных. Взгляд Кафки, который мы видим на всех его сохранившихся фотографиях, это взгляд чистого удивления: удивления, недоумения, тревоги. Кафка среди всех людей самый незащищенный в своем человеколюбии. *И это*, словно спрашивает он, *это и есть подобие божие*?

— Она заговаривается, — говорит Норма рядом с Джоном.

— Что?

— Она заговаривается. Она потеряла нить.

— Есть философ по имени Томас Нагель[1], — продолжает Элизабет Костелло, — который задал вопрос, ставший знаменитым в профессиональных кругах: каково это — быть летучей мышью?

Только представить себе, что такое жить жизнью летучей мыши, говорит мистер Нагель... только представить, что вы ночи напролет летаете в поисках насекомых, которых ловите ртом, ориентируетесь по слуху, а не по зрению, а когда для нас наступает день, висите головой вниз...

---

[1] *Томас Нагель* (Нейджел) (род. 1937) — американский философ, исследователь вопросов философии сознания, политики и этики.

Но только представить недостаточно, поскольку нам это говорит всего лишь о том, что такое вести себя, как летучая мышь. Тогда как на самом деле мы хотим знать, что это такое — быть летучей мышью в том смысле, в каком летучая мышь есть летучая мышь; но это недостижимо, потому что наш мозг не годится для такой задачи: наш мозг — это не мозг летучей мыши.

Нагель представляется мне умным человеком, не отталкивающим. Он даже наделен чувством юмора. Но его отрицание нашей возможности постичь, что такое быть кем-то другим, не принадлежащим к нашему виду, представляется мне трагически ограничительным. Ограничительным и ограниченным. Для Нагеля летучая мышь есть категорически чужеродное существо, может быть, не более чужеродное, чем марсианин, но уж конечно, более чужеродное, чем любое человеческое существо (в особенности, я бы сказала, если этим человеческим существом был коллега, ученый-философ).

Таким образом, мы образовали континуум, который тянется от марсианина на одном конце до летучей мыши, до собаки, до обезьяны (однако не до Красного Петера), до человеческого существа (однако не до Франца Кафки) — на другом; и с каждым нашим шагом по континууму от летучей мыши до человека, говорит Нагель, ответ на вопрос: «Что значит для X быть X?» становится все более очевидным.

Я знаю, что Нагель использует летучих мышей и марсиан только как вспоможение, чтобы поставить собственные вопросы о природе сознания. Но, как и у большинства писателей, у меня буквалистский склад ума, поэтому я хочу остановиться на летучей мыши. Когда Кафка пишет об обезьяне, я считаю, что он в первую очередь пишет об обезьяне. Когда Нагель пишет о летучей мыши, я считаю, что он в первую очередь пишет о летучей мыши.

Сидящая рядом Норма издает раздраженный вздох — такой тихий, что слышит его только Джон. Правда, вздох и предназначался только ему.

— Случаются мгновения, — говорит его мать, — когда я знаю, что такое быть трупом. Это знание вызывает у меня отвращение. Наполняет меня ужасом; я уклоняюсь от этого знания, отказываюсь размышлять над этим.

У всех нас случаются такие моменты, в особенности с возрастом. Это знание не абстрактно — «Все человеческие существа смертны. Я человеческое существо, поэтому я смертна», — а материально. На минуту мы становимся этим знанием. Мы переживаем невозможное: мы переживаем собственную смерть, оглядываемся на нее, но оглядываемся только так, как может оглядываться мертвец.

Когда я, отягощенная этим знанием, знаю, что я умру, — чтó я знаю в терминологии Нагеля? Знаю ли я, что такое для меня — быть трупом, или же я знаю, что такое для трупа — быть трупом? Различие представляется мне тривиальным. Я знаю, что труп не может знать: его нет, он не знает ничего и никогда не будет знать больше. На мгновение, прежде чем моя структура знания в панике рассыпается, я жива внутри этого противоречия, жива и мертва одновременно.

Норма чуть слышно фыркает. Он находит ее руку, сжимает.

— Вот на какого рода мысль способны мы, человеческие существа, но мы способны пойти даже дальше, если заставим себя или если нас заставит кто-то другой. Но мы противимся давлению со стороны и редко заставляем себя делать что-то; мы думаем о собственном пути в смерть, только когда сталкиваемся с ней лицом к лицу. И теперь я спрашиваю: если мы способны представить собственную смерть, то почему, черт побери, мы не можем представить себе собственное воплощение в летучую мышь?

Что значит быть мышью? Прежде чем мы сможем ответить на этот вопрос, считает Нагель, мы должны через восприятие потребностей летучей мыши почувствовать, что такое быть летучей мышью. Но он ошибается; или, по меньшей мере, направляет нас на ложный путь. Быть живой летучей мышью означает обладать полнотой бытия; быть в полной мере мышью — то же самое, что быть в полной мере человеком. А это равносильно обладанию полнотой бытия. Возможно — бытия летучей мыши в первом случае, и бытия человека во втором; но это вторичные соображения. Обладать полнотой бытия означает жить как тело-душа. Одно из названий ощущения полноты бытия — *радость*.

Быть живым означает быть живой душой. Животное — а мы все животные — есть воплощенная душа. Именно это видел Декарт, но по своим собственным соображениям предпочел отрицать. Животное, сказал Декарт, живет, как живет машина. Животное всего лишь механизм, который его составляет; если у него есть душа, то в том же смысле, в каком у машины есть аккумулятор, который посылает ток, чтобы механизм двигался; но животное не есть воплощенная душа, и качество его жизни не есть радость.

Cogito, ergo sum[1] — таково его знаменитое изречение. Эта формула всегда вызывала у меня некоторые возражения. Она подразумевает, что живое существо, которое не делает то, что мы называем «мыслить», есть существо как бы второго класса. Мышлению, полаганию я противопоставляю полноту, воплощение, ощущение бытия — не осознание себя самого как своего рода смутно рассуждающей машины, обдумывающей мысли, а напротив, ощущение — весьма эмоциональное ощущение — себя телом с конечностями, имеющим пространственное измерение, ощущение себя живым для мира. Полнота, о которой мы говорим, резко контрастирует с ключевым положением Декарта, которое отдает пустотой: наводит на мысль о горошине, болтающейся в стручке[2].

Полнота бытия есть состояние, которое трудно обеспечивать в заключении. Заключение в тюрьму есть форма наказания, предпочитаемая на Западе, который старается изо всех сил навязать эту форму всему миру, он утверждает, что все другие формы наказания (избиения, пытки, калечение, предание смерти) — жестокие и неестественные. Что это говорит нам о нас самих? Мне это говорит о том, что свобода тела передвигаться в пространстве выбрана целью потому, что, огра-

---

[1] Мыслю, следовательно, существую (*лат.*).

[2] Декарт, следуя традициям древних философов, называет находящуюся в мозгу крохотную, размером с горошину, шишковидную железу, или эпифиз, вместилищем души.

ничивая чужую свободу, разум может наиболее мучительным и эффективным образом ущемлять существование другого. И как раз на существ, которые менее всего приспособлены переносить заключение (на существ, менее всего отвечающих декартовому представлению о душе как о заточенной в стручке горошине, для которой само понятие заточения не имеет смысла), это средство оказывает наиболее разрушительное воздействие: в зоопарках, в лабораториях, институтах, где отсутствует поток радости не то что от возможности пользоваться своим телом, а даже просто от воплощенного бытия.

Мы не должны задавать себе вопрос, имеем ли мы что-то общее — разум, самоощущение, душу — с другими животными. (Если нет, то, как следствие, мы имеем право поступать с ними, как нам нравится — поместить в заключение, убить, обесчестить их останки.) Я возвращаюсь к лагерям смерти. Самый страшный их кошмар, кошмар, который убеждает нас: то, что происходило там, было преступлением против человечества, — состоит в том, что убийцы, хотя и принадлежали к одному виду с жертвами, обращались с ними как со вшами. Это слишком абстрактно. Кошмар в том, что убийцы, как и все остальные, не желали представлять себя на месте жертв. Они говорили: «Это *они* проезжают мимо в грохочущих вагонах для скота». Они не говорили: «Что бы чувствовал я, окажись я в этом вагоне для скота?» Они не говорили: «Это я в том вагоне для скота». Они говорили: «Вероятно, это мертвецы, которых сжигают сегодня, наполняют вонью воздух и падают прахом на мои кабачки». Они не говорили: «А как бы я отнесся к тому, что сжигают меня?» Они не говорили: «Я горю, я падаю прахом на землю».

Иными словами, они затворили свои сердца. Сердце — это вместилище такой способности, как *сочувствие*, которое позволяет нам иногда представлять себя в шкуре другого. Сочувствие главным образом связано с субъектом, а к объекту, «другому», имеет лишь минимальное отношение, что мы понимаем сразу же, когда думаем об объекте не как о летучей мыши («Могу ли я представить себя в шкуре летучей мыши?»), а как о человеческом существе. Сочувствие — это то, что испытывает субъект к объекту, который имеет к сочувствию лишь пассивное отношение, что легко понять, если мы представим себе в виде объекта не летучую мышь («Могу ли я представить себя в шкуре летучей мыши?»), а человека. Есть люди, которые обладают способностью представлять себя кем-то другим, есть люди, которые не обладают такой способностью (когда ее отсутствие приближается к бесконечности, мы называем их психопатами), и есть люди, которые обладают такой способностью, но предпочитают ею не пользоваться.

Вопреки Томасу Нагелю, который, вполне возможно, хороший человек, вопреки Фоме Аквинскому и Рене Декарту, симпатизировать которым у меня меньше оснований, нет пределов той степени, в какой мы можем воображать себя другим существом. Если хотите доказательства, то подумайте вот над чем. Несколько лет назад я написала книгу «Дом на Экклс-стрит». Чтобы написать ее, мне пришлось представить себя Марион Блум. Мне это либо удалось, либо нет. Если не удалось, то я не могу понять, почему вы пригласили меня сегодня сюда. Как бы то ни было, суть в том, что *никакой Марион Блум никогда не существовало*. Марион Блум была игрой воображения Джеймса Джойса. Если я могу представить себя существом, которого никогда не существовало, то я могу представить себя, скажем, летучей мышью, или шимпанзе, или устрицей — любым существом, с которым мы делим субстрат жизни.

Я возвращаюсь в последний раз к местам смерти вокруг нас, местам боен, на которые мы громадным всеобщим усилием закрываем наши сердца. Каждый день новый холокост, но, насколько я вижу, наша мораль не восстает против этого. Мы не чувствуем себя запятнанными. Мы, кажется, можем делать что угодно и оставаться чистыми.

Мы показываем на немцев, поляков и украинцев, которые и знали, и не знали о жестокостях, творящихся вблизи них. Мы хотим думать, что последствия этой особой формы неведения оставили свой след в их душах. Мы хотим думать, что в ночных кошмарах к ним возвращаются те, кому они отказывались сострадать. Мы хотим думать, что они просыпались измотанные по утрам и умирали от поедавшего их рака. Но, вероятно, все было не так. Свидетельства указывают на противоположное: мы можем сделать что угодно, и нам это сойдет с рук; наказания нет.

Странная концовка, думает он. Только когда она снимает очки и складывает свои бумаги, начинаются аплодисменты, но они рассеянные. Странная концовка странного разговора, плохо выверенная, плохо аргументированная. Нет ее métier[1], нет аргументации. Не следовало ей приезжать.

---

[1] Мастерства (*фр.*).

Норма поднимает руку, пытаясь привлечь внимание декана факультета гуманитарных наук, который председательствует на собрании.

— Норма! — шепчет он, взволнованно качая головой. — Нет!

— Почему? — шепчет она в ответ.

— Прошу тебя, — шепчет он, — не здесь, не сейчас!

— В пятницу в полдень состоится развернутая дискуссия по мотивам лекции нашей знаменитой гостьи — подробности вы узнаете из программки, — но миз Костелло любезно согласилась ответить на один-два вопроса из зала. Итак?.. — Декан оглядывает аудиторию призывным взглядом. — Да! — говорит он, узнав кого-то, сидящего сзади.

— У меня есть право! — шепчет Норма ему в ухо.

— Право у тебя есть, но не реализуй его, это плохая идея, — шепчет он ей в ответ.

— Нельзя позволить ей уйти с этим! Она запуталась!

— Она старая, она моя мать. Прошу тебя!

Сзади кто-то уже говорит. Джон поворачивается и видит высокого бородатого человека. Один господь знает, думает он, почему его мать согласилась отвечать на вопросы из зала. Она что, не знает, что публичные лекции привлекают чудаков и фриков, они слетаются, как мухи на мертвое тело.

— Мне не ясно вот что, — говорит человек, — к чему именно вы хотите нас призвать? Вы хотите сказать, что мы должны закрыть мясные фермы? Вы хотите сказать, что мы должны отказаться от мяса? Вы хотите сказать, что мы должны гуманнее обращаться с животными, убивать их более гуманным способом? Вы хотите сказать, что мы должны перестать ставить эксперименты над животными? Вы хотите сказать, что мы должны перестать ставить эксперименты с животными, даже такие безвредные, как эксперименты Кёлера? Не могли бы вы прояснить эту мысль? Спасибо.

Прояснить. Вовсе и не чудик. Прояснение не помешает.

Она стоит перед микрофоном без своего текста, держится за край кафедры — у его матери очень взволнованный вид. Не ее métier, думает он снова: ей не следовало делать это.

— Я надеялась, что мне не придется провозглашать принципы, — говорит его мать. — Если вы хотите извлечь из этого разговора только принципы, то мне придется ответить вам: откройте ваши сердца и прислушайтесь, что они говорят вам.

Похоже, она хочет этим и ограничиться. Декан, кажется, растерян. Задавший вопрос тоже явно растерян. Почему бы ей просто не сказать то, что она хочет сказать?

Его мать словно почувствовала этот неудовлетворенный ропот.

— Меня лично никогда не интересовали запреты, диетического или какого-либо иного рода. Запреты, законы. Меня больше интересует то, что находится за ними. Что касается экспериментов Кёлера, то я думаю, он написал замечательную книгу, и эта книга не была бы написана, если бы он не считал себя ученым, который вправе проводить эксперименты с шимпанзе. Но та книга, которую читаем мы, вовсе не та книга, которую, как ему казалось, он пишет. Мне вспоминается одно соображение Монтеня: «Мы думаем, что играем с кошкой, но откуда мы знаем, что это не кошка играет с нами?» Мне бы хотелось думать, что животные в наших лабораториях играют с нами. Но, увы, это не так.

Она замолкает.

— Это отвечает на ваш вопрос? — спрашивает декан.

Задавший вопрос экспрессивно, широко пожимает плечами и садится.

Впереди еще обед. Через полчаса президент должен дать обед в факультетском клубе. Первоначально Джона и Нормы не было среди приглашенных, но потом, когда выяснилось, что у Элизабет Костелло в Эпплтоне есть сын, их добавили в список. Он подозревает, что они будут там не на своем месте. Они явно окажутся среди самых молодых и самых низкопоставленных. С другой стороны, ему, вероятно, будет полезно присутствовать. Он может понадобиться, если там станет неспокойно.

С мрачным интересом он ждет, как колледж справится с вызовом, каким стало теперь меню. Если бы сегодняшний почтенный лектор был бы исламским муллой или еврейским раввином, они бы предположительно не подали свинину. Неужели они из уважения к вегетарианству подадут всем пирожки с ореховой начинкой? Неужели ее почетным ученым гостям придется весь вечер хмуриться и мечтать о сандвиче с бастурмой или холодной куриной ножке, которые они будут уминать, вернувшись домой? Или же умные головы из колледжа прибегнут к такому спасительному средству, как двусмысленная рыба, у которой есть позвоночная кость, но которая не дышит воздухом и не выкармливает потомство молоком?

К счастью, меню — не зона его ответственности. Он опасается, как бы во время всеобщего разговора кто-нибудь не поднялся с тем, что он называет Вопрос: «Что вас, миссис Костелло, привело к вегетарианству?» — а она со своего нравственного Олимпа не выдала бы то, что Норма называет Плутархов ответ. После этого ему и только ему придется сводить к минимуму нанесенный ущерб.

Этот ответ корнями уходит в «Моралии» Плутарха. Его мать знает ответ наизусть, а он может его воспроизвести лишь приблизительно. «Вы спрашиваете меня, почему я отказываюсь есть мясо. Я же, со своей стороны, удивлен тем, что вы можете класть себе в рот тело мертвого животного, удивлен тем, что вы не считаете омерзительным жевать резаную плоть и глотать соки смертельных ран»[1]. Плутарх — большой умелец пресекать разговоры за столом: в данном случае это делает слово «соки». Цитировать Плутарха — все равно что бросать перчатку; после этого невозможно предсказать дальнейшее развитие событий.

Он жалеет, что его мать приняла приглашение. Он рад видеть ее; он рад, что она увидит внуков; он рад, что она получает признание, но ему кажется, что цена, которую он платит и готов заплатить, если визит полетит под откос, чрезмерна. Почему она не может быть обычной старой женщиной, живущей обычной жизнью старой женщины? Если она хочет открыть свое сердце животным, почему она не может оставаться дома и открыть его своим котам?

---

[1] См.: Плутарх, «О поедании плоти».

Его мать сидит за столом в центре, против президента Гаррарда. Джон сидит через два места от нее. Норма — в конце стола. Одно место пустует — он понятия не имеет, чье.

Рут Оркин с кафедры психологии говорит его матери об эксперименте с молодой шимпанзе, которую воспитывали, как человека. Когда ей давали разные фотографии и она раскладывала их по кучкам, то свою непременно располагала среди фотографий людей, а не обезьян.

— Возникает сильное искушение дать этой истории прямолинейное толкование, — говорит Оркин, — а именно, что она считала себя одной из нас. Но как ученый, я должна быть осторожной.

— Я с вами согласна, — говорит его мать. — В ее мозгу две эти совокупности могли иметь не столь очевидный смысл. Например, те, кто свободен приходить и уходить, и те, кто должен оставаться взаперти. Возможно, она хотела этим сказать, что предпочла бы быть среди тех, кто свободен.

— А может быть, она хотела ублажить своего смотрителя, — вставляет президент Гаррард. — Намекая на то, что они похожи.

— Уж слишком по-макиавеллистски для животного, вы так не думаете? — говорит крупный блондин, чье имя Джон не расслышал.

— Лиса-Макиавелли — так его называли современники, — говорит его мать.

— Но это совершенно другой вопрос — мифические качества животных, — возражает крупный.

— Да, — говорит мать.

Все идет довольно гладко. Им подали тыквенный суп, и никто не сетует. Теперь он может позволить себе расслабиться?

С рыбой он не ошибся. На антре[1] можно выбрать луциан[2] с молодым картофелем или феттучини с баклажаном. Гаррард заказывает феттучини, и он тоже; из одиннадцати приглашенных только трое заказывают рыбу.

— Занятно, как часто религиозные сообщества определяют себя по пищевым запретам, — замечает Гаррард.

— Да, — говорит Элизабет.

— Я хочу сказать, занятно, что форма определения нередко имеет вид, например, такой: «Мы народ, который не ест змей», а не «Мы народ, который ест ящериц». Чаще мы не делаем, чем мы делаем.

Перед тем как перейти в администрацию, Гаррард занимался политологией.

— Это все связано с представлениями о чистых и нечистых, — говорит Вундерлих, англичанин, несмотря на свою фамилию. — Чистые и нечистые животные, чистые и нечистые привычки. Принадлежность к нечистым может быть очень удобным инструментом для определения, кто свой, а кто нет, кто внутри, а кто снаружи.

— Принадлежность к нечистым и стыдливость, — неожиданно для себя говорит Джон. — Животные не знают стыдливости.

Он удивляется, слыша собственный голос. А почему нет — вечер идет хорошо.

— Именно, — говорит Вундерлих. — Животные не прячутся во время испражнений и совокупляются на виду у всех. Мы говорим, что они не знают стыдливости, и мы говорим, что этим они отличаются от нас. Но главное отличие в том, что

---

[1] Первое блюдо, легкая закуска.

[2] Род окунеобразных рыб.

они нечистые. У животных нечистые привычки, поэтому мы исключаем их из нашей среды. Стыдливость делает из нас человеческих существ, стыд быть нечистым. Адам и Ева — основополагающий миф. До этого мы все были просто животными.

Он никогда раньше не слышал Вундерлиха. Ему нравится Вундерлих, нравится его серьезное оксфордское произношение с запинанием. Приятное разнообразие после американской самоуверенности.

— Но все же этот механизм действует иначе, — возражает Оливия Гаррард, элегантная жена президента. — Это слишком абстрактная, слишком уж бесстрастная идея. Животные — существа, с которыми мы не совокупляемся, именно так мы отличаем их от себя. Мы содрогаемся от одной мысли о сексе с ними. Вот уровень их нечистоты — всех животных. Мы не смешиваемся с ними. Мы разделяем чистых и нечистых.

— Но мы их едим. — Это голос Нормы. — Так что мы смешиваемся с ними. Мы их перевариваем. Мы превращаем их плоть в свою, так что этот механизм работает иначе. Есть некоторые животные, которых мы не едим. Вот именно они наверняка и есть нечистые, а не животные вообще.

Она, конечно, права. Но и ошибается: неправильно возвращать разговор к тому, что на столе перед ними, — к еде.

Снова начинает говоритьВундерлих:

— Греки чувствовали: в убийстве животных есть что-то неправильное, но они полагали, что это можно компенсировать ритуализацией. Они приносили жертвы, часть отдавали богам, надеясь таким образом умилостивить их. То же представление заложено и в понятие десятины. Просить богов благословить плоть, которую вы собираетесь съесть, просить их объявить ее чистой.

— Видимо, такова природа богов, — говорит его мать, после чего воцаряется молчание. — Возможно, мы изобрели богов, чтобы возлагать на них вину. Они давали нам разрешение есть мясо. Они давали нам разрешение играть с нечистыми. Это не наша вина — их. Мы всего лишь их дети.

— Вы верите в это? — осторожно спрашивает миссис Гаррард.

— И сказал Господь: «Все движущееся, что живет, будет вам в пищу[1]», — цитирует его мать. — Очень удобно, Сам Господь разрешил.

Снова молчание. Они ждут продолжения от нее. В конечном счете ей заплатили за то, чтобы она их развлекала.

— Норма права, — говорит его мать. — Проблема состоит в том, чтобы определить наше отличие от животных вообще, а не только от так называемых нечистых. Запрет на употребление в пищу некоторых животных — свиней и других — довольно произволен. Это просто сигнал о том, что мы в опасной зоне. На самом деле — на минном поле. Минном поле пищевых запретов. В табу нет никакой логики, как нет никакой логики и в минном поле, да и не должно быть. Никогда не догадаешься, что тебе можно есть или куда тебе поставить ногу, если у тебя на руках нет карты, божественной карты.

— Но это чистая антропология, — возражает Норма со своего места в конце стола. — Это ничего не говорит о поведении сегодня. Современные

---

[1] См. Бытие, 9:3.

люди больше не определяют свою диету на основе божественного разрешения. Если мы едим свиней и не едим собак, то только потому, что мы так воспитаны. Вы не согласны, Элизабет? Это просто наши традиции.

«Элизабет». Норма заявляет претензию на близость. Но в какую игру она играет? Не хочет ли завлечь его мать в ловушку?

— Есть еще и отвращение, — говорит его мать. — Мы, может, и избавились от богов, но не от отвращения, которое являет собой разновидность религиозного ужаса.

— Отвращение не всеобще, — возражает Норма. — Французы едят лягушек. Китайцы едят все. В Китае не знают отвращения.

Его мать молчит.

— Значит, возможно, все дело в том, чему тебя научили дома, что тебе говорили родители: это можно есть, а это нельзя.

— Что чистое, а что нет, — бормочет его мать.

— А может быть... — Теперь Норма заходит слишком далеко, она начинает брать разговор на себя в такой степени, которая совершенно неприемлема. — ...все это противопоставление чистого и нечистого имеет совершенно иную функцию, а именно, дать возможность некоторым группам негативно самоопределять себя как элиту, как избранных. Мы — люди, которые воздерживаемся от A, B, C и силой воздержания возвышаем себя над остальными: становимся высшей кастой в обществе, например. Как брамины.

Молчание.

— Запрет на мясо в вегетарианстве представляет собой лишь крайнюю форму пищевого запрета, — продолжает Норма. — А пищевой запрет — это быстрый и простой способ для элитной группы определить себя. Пищевые привычки других людей нечисты, мы не можем есть или пить с ними.

Теперь она и в самом деле переходит грань благопристойности. Слышно шарканье ног под столом, в воздухе повисает неловкость. К счастью, подоспела перемена блюд — луциан и феттучини съедены, — подходят официантки, забирают грязные тарелки.

— Норма, вы читали автобиографию Ганди? — спрашивает Элизабет.

— Нет.

— Ганди молодым человеком отправили в Англию изучать юриспруденцию. Англия, конечно, похвалялась тем, что она великая страна мясоедов. Но мать заставила его пообещать ей, что он не будет есть мясо. Она дала ему с собой целый сундук с едой. Во время плавания он брал немного хлеба с корабельного стола, а остальное — из своего сундука. В Лондоне ему предстояли долгие поиски жилья и ресторанов, в которых подавали нужную ему еду. Взаимоотношения с англичанами были для него затруднены, потому что он не мог ни принять их приглашений, ни ответить гостеприимством. И только познакомившись с некоторыми маргинальными элементами английского общества — фабианцами[1], теософами и прочи-

---

[1] Фабианство, или фабианский социализм, — философско-экономическое течение. Получило название от имени римского военачальника Фабия Максима Кунктатора (Медлительного). Сторонники фабианства считали, что преобразование капитализма в социалистическое общество должно происходить постепенно, медленно, в результате постепенных институциональных изменений.

ми, — начал он чувствовать себя в своей тарелке. А до того времени он был всего лишь одиноким, маленьким студентом права.

— И в чем суть, Элизабет? — говорит Норма. — В чем суть этой истории?

— В том, что вегетарианство Ганди невозможно рассматривать как способ достижения власти. Вегетарианство делало его маргиналом в глазах общества. И его особая гениальность состояла в том, что он сумел инкорпорировать в свою политическую философию то, что нашел в маргинальных кругах.

— Как бы то ни было, — вмешивается блондин, — Ганди плохой пример. Его вегетарианство вряд ли можно назвать ревностным. Он стал вегетарианцем, поскольку дал обещание матери. Он, возможно, и сдержал обещание, но он сожалел, что дал его, и негодовал по этому поводу.

— Вы не считаете, что матери могут оказывать положительное влияние на своих детей? — говорит Элизабет Костелло.

Наступает пауза. Пришло время сказать свое слово ему, хорошему сыну. Он молчит.

— Но ваше собственное вегетарианство, миссис Костелло, — говорит президент Гаррард, пытаясь снять напряжение, — оно ведь происходит из нравственных соображений, верно?

— Нет, я так не думаю, — говорит мать. — Оно происходит из желания спасти мою душу.

Теперь тишина воцаряется полная, ее нарушает только звяканье тарелок — официантки ставят перед ним «запеченную Аляску»[1].

---

[1] *«Запеченная Аляска»* (англ. Baked Alaska) — десерт, мороженое на бисквитной подложке, покрытое взбитыми яичными белками, зарумяненными в духовке (безе).

— Я питаю глубокое уважение к вегетарианству как к образу жизни, — говорит Гаррард.

— Я ношу кожаные туфли, — говорит мать. — У меня кожаная сумочка. Я бы на вашем месте не перебарщивала с уважением.

— Последовательность, — бормочет Гаррард. — Последовательность — это страшилка для недалеких людей. Уж конечно, не так трудно провести различие между употреблением в пищу мяса и использованием кожи.

— Различие в степени бесстыдства, — отвечает она.

— Я тоже питаю глубочайшее уважение к кодам, основанным на уважении к жизни, — говорит декан Арендт, впервые вступая в дискуссию. — Я готов согласиться с тем, что пищевые табу не обязательно должны быть всего лишь обычаями. Я соглашусь с тем, что в их основе лежит искренняя нравственная озабоченность. Но в то же время следует сказать, что вся наша суперструктура озабоченности и веры — это закрытая книга для самих животных. Вы не можете объяснить бычку, что его жизнь будет сохранена, точно так же как не можете объяснить жучку, что не наступите на него подошвой. В жизни животных просто случается и плохое, и хорошее. Поэтому вегетарианство, если задуматься, выглядит довольно странно, ведь бенефициарии даже не знают, что они в выигрыше. И нет ни малейшей надежды на то, что когда-нибудь узнают. Потому что они обитают в вакууме сознания.

Арендт замолкает. Наступает очередь для ответа Элизабет, но у нее растерянный вид, болезненный, усталый и растерянный.

— День у тебя был долгий, мама, — говорит он. — Пожалуй, пора.

— Да, пора, — говорит она.

— Вы не выпьете кофе? — спрашивает президент Гаррард.

— Нет, мне будет не уснуть. — Она поворачивается к Арендту. — Вы затронули интересный вопрос. У животных нет сознания, которое мы бы признали сознанием. Как мы это понимаем, у них нет представления о себе как о некоем «я», у которого есть прошлое. Но возражаю я против того, что из этого вытекает. У них нет сознания, а *поэтому*. Поэтому что? Поэтому мы можем использовать их в наших собственных целях? Поэтому мы вольны их убивать? Почему? Какое такое особенное качество в той форме сознания, которую мы признаем, делает убийство носителя этого сознания преступлением, тогда как убийство животного остается безнаказанным? Есть моменты...

— Уж не говоря о младенцах, — вставляет Вундерлих. Все поворачиваются к нему. — У младенцев отсутствует самосознание, но в то же время убийство младенца считается более чудовищным, чем убийство взрослого.

— И потому? — говорит Арендт.

— И потому весь это разговор о сознании и о его наличии у животных всего лишь дымовая завеса. А по сути, мы защищаем себе подобных. Человеческие младенцы — большой палец вверх, молочный теленок — большой палец вниз. Вы так не думаете, миссис Костелло?

— Я не знаю, что я думаю, — говорит Элизабет Костелло. — Я часто спрашиваю себя: что такое — думать, что такое — понимать? Неужели мы понимаем вселенную лучше, чем животные? Понимание часто представляется мне похожим на игру с кубиком Рубика. Если у тебя все маленькие квадратики встали на свои места — нате вам: ты понимаешь. Это не лишено смысла, если вы живете внутри кубика Рубика, но если нет...

Наступает тишина.

— Я бы сказала... — говорит Норма, но он в этот момент поднимается, и Норма, к его облегчению, замолкает.

Встает президент, потом встают все остальные.

— Замечательная лекция, миссис Костелло, — говорит президент. — Много пищи для размышлений. Мы с нетерпением ждем завтрашнего подарка.

Урок 4

ЖИЗНИ ЖИВОТНЫХ (2)

Поэты и животные

Двенадцатый час. Его мать отошла ко сну, они с Нормой наводят порядок внизу — дети оставили кавардак. После этого ему еще нужно подготовиться к завтрашним занятиям.

— Ты пойдешь завтра на ее семинар? — спрашивает Норма.

— Придется.

— Какая тема?

— «Поэты и животные». Таково название. Устраивает его английская кафедра. В аудитории для семинаров, так что не думаю, что они предполагают большой наплыв.

— Слава богу, тема, в которой она разбирается. Мне трудно принять ее философствования.

— Да? И против чего ты возражаешь?

— Например, против того, что она говорила о человеческом мышлении. Предположительно она пыталась высказать свое мнение о природе рационального понимания. Сказать, что рациональные рассуждения есть всего лишь производное структуры разума, что у животных рассуждения определяются структурой их разума, к которому у нас нет доступа, потому что мы говорим на разных языках.

— И что в этом неправильного?

— Это наивно, Джон. Это разновидность упрощенного, поверхностного релятивизма, который производит впечатление на первокурсников. Уважение к мировосприятию каждого, к мировосприятию коровы, к мировосприятию белки и так далее. В конечном счете это приводит к тотальному интеллектуальному параличу. Ты столько времени тратишь на уважение, что времени подумать у тебя не остается.

— Разве у белки нет мировосприятия?

— У белки есть мировосприятие. Ее мировосприятие включает желуди, деревья, погоду, кошек, собак, автомобили и белок противоположного пола. Оно включает представление о том, как эти явления взаимодействуют и как она должна взаимодействовать с ними, чтобы выжить. И это все. Ничего более. Таков мир с точки зрения белки.

— Мы в этом уверены?

— Мы в этом уверены в том смысле, что сотни лет наблюдений за белками не привели нас ни к каким другим выводам. Если в мозгу белки есть что-то еще, то оно никак не проявляется в наблюдаемом поведении. Как ни посмотри, мозг белки — очень простой механизм.

— Значит, Декарт был прав: животные — это всего лишь биологические автоматы.

— В широком смысле — да. Отвлеченно говоря, ты не можешь провести различие между умом животного и имитацией ума животного машиной.

— А с человеческими существами все обстоит иначе?

— Джон, я устала, а ты меня достаешь. Человеческие существа изобретают математику, они строят телескопы, производят расчеты, сооружают машины, они нажимают кнопки и — бац: марсоход высаживают на поверхность Марса точно по расписанию. Вот почему рациональное мышление не игра, в отличие от того, что утверждает твоя мать. Логика дает нам реальные знания о реальном мире. Это было опробовано, оно работает. Ты физик, ты должен знать.

— Я согласен. Оно работает. И все же разве не может какой-нибудь сторонний наблюдатель сказать, что наша умственная работа, а потом отправка зонда на Марс в немалой степени сродни умственной работе белки, которая, поразмыслив, бросается к тебе и хватает орех? Не это ли она имела в виду?

— Но такого наблюдателя нет! Я знаю, это может показаться старомодным, но я должна это сказать. Нет такого наблюдателя вне логики, который стоял бы и читал лекции о логике, выносил о ней суждения.

— Кроме такого наблюдателя, который уходит от логики.

— Это всего лишь французский иррационализм, такие вещи говорит человек, никогда не бывавший в психиатрической клинике и не видевший людей, которые по-настоящему ушли от логики.

— Тогда, кроме Бога.

— Но не того Бога, который есть Бог логики. Бог логики не может быть вне логики.

— Ты меня удивляешь, Норма. Ты говоришь, как старомодный рационалист.

— Ты меня неправильно понял. Эту аргументацию избрала твоя мать. Это ее язык. А я всего лишь реагирую.

— Кто был отсутствующим гостем?

— Ты имеешь в виду незанятое место? Это Стерн, поэт.

— Ты считаешь, то было изъявление протеста?

— Уверена. Твоей матери нужно было дважды подумать, прежде чем поднимать тему холокоста. Я чувствовала, как у публики вокруг меня шерсть поднимается на загривках.

Пустой стул и в самом деле был изъявлением протеста. Когда он уходит на занятия, в его почтовом ящике лежит письмо, адресованное матери. Он передает ей письмо, когда заезжает домой, чтобы отвезти ее в колледж. Она быстро читает, потом, вздохнув, возвращает письмо ему.

— Кто этот человек? — спрашивает она.

— Эйбрахам Стерн. Поэт. Довольно уважаемый, насколько я знаю. Он здесь уже целую вечность.

Он читает послание Стерна, оно написано от руки.

Уважаемая миссис Костелло,

извините, что не пришел на вчерашний обед. Я читал ваши книги и знаю: вы человек серьезный, а потому отдаю вам должное и принимаю серьезно то, что вы говорили на вашей лекции.

А суть вашей лекции, как мне кажется, сводилась к преломлению хлеба. Если мы отказываемся преломить хлеб с палачами из Аушвица, то можем ли мы преломить хлеб с убийцами животных?

Вы в своих целях использовали известное сравнение: убийство евреев в Европе и забой скота. Евреи умирали, как скот, а значит, скот умирает, как евреи, говорите вы. Это игра словами, которую я не могу принять. Вы неправильно понимаете природу подобия, я бы даже сказал — намеренно понимаете неправильно, вплоть до святотатства. Человек сотворен по подобию божию, но бог не подобен человеку. Если с евреями обходились как со скотом, это еще не значит, что со скотом обходятся как с евреями. Такая инверсия — оскорбление памяти мертвых. А еще это дешевая спекуляция на ужасах лагерей.

Простите меня, если я показался вам слишком прямолинейным. Вы сказали, что слишком стары, чтобы тратить время на любезности, и я тоже старик.

Искренне ваш,
Эйбрахам Стерн

Он доставляет мать к ее опекунам — на кафедру английского, а потом отправляется на собрание. Собрание все не кончается и не кончается. Он появляется в аудитории Стаббс Холла только в половине третьего.

Он входит и слышит ее голос. Садится около двери, стараясь не производить шума.

— В поэзии такого рода, — говорит она, — животные воплощают человеческие качества: лев — мужество, сова — мудрость и так далее. Даже в стихотворении Рильке пантера есть олицетворение чего-то другого. Пантера растворяется в танце энергии вокруг центра, этот образ уходит корнями в физику, физику элементарных частиц. Рильке не идет дальше — дальше пантеры, которая является ярким воплощением силы сродни той, что высвобождается во время атомного взрыва, а здесь удерживается не столько прутьями клетки, сколько тем, к чему прутья принуждают пантеру: к хождению кругами, которое оглупляет, парализует волю[1].

Пантера Рильке? Какая пантера? Видимо, его недоумение бросается в глаза: сидящая рядом с ним девушка сует ему под нос отксеренную программку. Три стихотворения: одно — «Пантера» Рильке, два — Теда Хьюза под названиями «Ягуар» и «Второй взгляд на ягуара». У него нет времени их прочесть.

— Хьюз возражает Рильке, — продолжает его мать. — Он использует ту же сцену, зоопарк, но в данном случае парализована толпа зрителей, а среди толпы — человек, поэт, зачарованный, шокированный, потрясенный, его способность понимать напряжена до предела. Зрение ягуара, в отличие от зрения пантеры, не притуплено. Напротив, его глаза пронзают тьму пространства. Клетка для него не является реальностью, он находится где-то в другом месте. Он в другом месте, поскольку его сознание подвижное, а не абстрактное: усилие мускулов перемещает его в пространстве, которое по своей природе отличается от трехмерной коробки Ньютона, — это круговое пространство, замыкающееся в самом себе.

Таким образом — если оставить в стороне этический вопрос помещения в клетки крупных животных, — Хьюз нащупывает путь к иному роду существования в мире, не совсем чуждому для

---

[1] Здесь уместно привести строки из этого стихотворения Рильке:

> Ее походка мощная упруга,
> Все напряженней движется она,
> Как в танце, в направленье к центру круга,
> В котором воля спит, оглушена...
>
> *(Перевод В. Куприянова)*

нас, поскольку восприятие того, кто находится перед клеткой, видимо, есть восприятие сновидения, свойственное для состояния сна, восприятие, содержащееся в коллективном бессознательном. В этих стихотворениях мы познаем ягуара не по тому, чем он кажется, а по тому, как он двигается. Свойства тело определяются тем, как оно движется, или как жизненные потоки движутся внутри него. Эти стихотворения просят нас вообразить наш переход в этот образ движения, в обитание внутри этого тела.

Хьюз ставит вопрос — я это подчеркиваю — не об обитании внутри чужого разума, а об обитании внутри чужого тела. Именно к поэзии такого рода я и привлекаю ваше внимание: к поэзии, которая не пытается найти идею в животном, которая и не о животном вовсе, нет, она просто фиксирует наш интерес к животному.

Особенность поэтического интереса такого рода состоит в том, что, независимо от степени его интенсивности, он остается совершенно безразличным к своему объекту. В этом отношении подобные поэтические опусы не похожи на лирические стихотворения, цель которых в том, чтобы задеть за живое их объект.

Не то чтобы животным безразлично, как мы к ним относимся. Но когда мы облекаем поток чувства между нами и животными в слова, мы навсегда отделяем его от животных. Таким образом, это стихотворение, в отличие от лирического, не есть подарок его объекту. Стихотворение лежит целиком в пределах человеческих чувств, к которым животное не имеет отношения. Ответила ли я на ваш вопрос?

Кто-то еще тянет руку: высокий молодой человек в очках. Он плохо знаком с поэзией Теда Хьюза, говорит он, но последнее, что он о нем слышал: Хьюз владеет овцеводческой фермой где-то в Англии. Мне представляется, это вещи несовместные. Что-нибудь одно: либо ты выращиваешь овец как субъектов своей поэзии (по аудитории проносятся смешки), либо ты выращиваешь их как фермер — на продажу.

— Как это отвечает тому, что вы говорили вчера в вашей лекции, когда вы, казалось, категорически возражали против убийства животных на мясо?

— Я не знакома с Тедом Хьюзом, — отвечает Элизабет, — поэтому не могу вам сказать, какой он фермер. Но позвольте мне попытаться ответить на ваш вопрос на другом уровне.

У меня нет оснований полагать, что Хьюз верит в уникальность своей рачительности по отношению к животным. Напротив, я подозреваю, что он считает, будто восстанавливает рачительность, свойственную нашим далеким предкам, но утраченную нами (он рассматривает эту утрату в эволюционном, а не в историческом плане, но это другой вопрос). Я бы высказала предположение, что, по его мнению, его взгляд на животных во многом совпадает со взглядом охотников эпохи палеолита.

Это ставит Хьюза в один ряд с поэтами, которые прославляют примитивное и не принимают западнической склонности к абстрактной мысли. В один ряд с Блейком и Лоуренсом, Гэри Снайдером в Соединенных Штатах или Робинсоном

Джефферсом[1]. Включая и Хемингуэя в его период увлечения охотой и боем быков.

Мне кажется, что бой быков дает нам ключ. Они говорят: убивайте животное, как хотите, но сделайте из этого соревнование, ритуал, почитайте вашего противника за его силу и отвагу. Ешьте его после победы над ним, чтобы его сила и смелость перешли в вас. Загляните ему в глаза, прежде чем убить, а потом поблагодарите. Пойте песни про него.

Мы можем назвать это примитивизмом. Такую позицию легко критиковать, высмеивать. Она глубоко мужская, мужественная. Ее ответвлениям в политику доверять не следует. Но когда все сказано и сделано, на этическом уровне от всего этого ритуала остается что-то привлекательное.

Однако она к тому же непрактична. Невозможно накормить четыре миллиарда людей усилиями матадоров или охотников на оленей, вооруженных луками и стрелами. Нас стало слишком много. Нет времени на то, чтобы отдавать дань уважения и че-

---

[1] *Уильям Блейк* (1757–1827) — английский поэт и художник. Почти не признанный при жизни, Блейк в настоящее время считается важной фигурой в истории поэзии и изобразительного искусства романтической эпохи. Здесь имеется в виду его цикл «Песни Невинности и Опыта», многие стихотворения которого посвящены животным. *Дэвид Герберт Лоуренс* (1885–1930) призывал современников открыть себя «темным богам» инстинктивного восприятия природы, эмоциональности и сексуальности, к отказу от столь характерного для XIX века рационализма. *Гэри Шерман Снайдер* (род. 1930) — американский поэт, эссеист, преподаватель, активист движения энвайронменталистов. *Джон Робинсон Джефферс* (1887–1962) — американский поэт, считающийся иконой движения энвайронменталистов.

сти всем животным, которые нужны нам, чтобы прокормиться. Нам требуются фабрики смерти, нам нужны животные для этих фабрик. Чикаго показало нам путь: на примере чикагских боен нацисты учились перерабатывать тела.

Но позвольте мне вернуться к Хьюзу. Вы говорите: несмотря на все свои примитивистские уловки, Хьюз — мясник, и что мне делать в его обществе?

Я бы ответила так: писатели учат нас в большей степени, чем сами это осознают. Воплощаясь в ягуара, Хьюз показывает нам, что мы тоже можем воплощаться в животных, используя некую химию, называемую поэтическим воображением; воображение смешивает дыхание и сознание способом, который никто еще не сумел объяснить и никогда не сможет объяснить. Он показывает нам, как поместить это живое тело в существо внутри нас. Когда мы читаем стихотворение о ягуаре, когда вспоминаем его потом в спокойной обстановке, мы на короткое время становимся ягуаром. Он шевелится внутри нас, он занимает наше тело, он становится нами.

Пока все в порядке. Я не думаю, что Хьюз не согласился бы с тем, что я сказала. В немалой степени это напоминает смесь шаманизма, одержимости духами, архетипической психологии, приверженцем которых он сам и является. Иными словами, примитивистский опыт (пребывание один на один с животным), примитивистские стихи и примитивистская теория поэзии говорят в мою пользу.

Кроме того, это та разновидность поэзии, с которой могут чувствовать себя комфортно охотники и люди, которых я называю экологическими менеджерами. Когда поэт Хьюз стоит перед клеткой с ягуаром, он смотрит на отдельного ягуара и одержим жизнью этого отдельного ягуара. Иначе и быть не может. Ягуары в целом, подвид ягуаров, представление о ягуаре не смогут тронуть его, потому что мы не умеем сопереживать абстракциям. И тем не менее стихотворение, которое пишет Хьюз, посвящено «ягуарности», воплощенной в данном ягуаре. Так же как, когда он позднее пишет замечательные стихотворения о лососе, они говорят о лососях как временных обитателях жизни лосося, биографии лосося. Так что, несмотря на яркость и приземленность поэзии, в ней остается что-то платоническое.

В экологическом видении лосось, речные водоросли и водные насекомые взаимодействуют с землей и погодой в огромном сложном танце. Целое больше суммы слагаемых. В танце каждый организм играет свою роль, и именно эти множественные роли, а не отдельные существа, играющие их, участвуют в танце. Что же касается самих исполнителей, то мы не должны обращать на них никакого внимания, пока они самообновляются, пока они делают свое дело.

Я назвала это платонизмом и делаю это еще раз. Наш глаз видит само существо, но наш разум — систему взаимодействий, земным, материальным воплощением которой это существо и является.

В этом положении заключена страшная ирония. Экологическая философия, которая учит нас жить бок о бок с другими существами, оправдывает себя, взывая к некой идее, идее более высокого порядка, чем любое живое существо. К идее, которая в конечном счете (и в этом-то и состоит сокрушительный выверт иронии) утверждает, что ни одно живое существо, кроме человека, не способно мыслить. Каждое живое существо борется за свою собственную отдельную жизнь, отказываясь самим фактом борьбы принять идею о том, что лосось или мошка в порядке важности стоят на более низкой ступени, чем идея лосося или идея мошки. Но когда мы видим лосося, борющегося за свою жизнь, мы говорим, что он запрограммирован на борьбу, мы вместе с Фомой Аквинским говорим, что лосось замкнут в круге природного рабства, мы говорим, что у него отсутствует самосознание.

Животные не верят в экологию. Даже этнобиологи не утверждают этого. Даже этнобиологи не говорят, что муравей приносит себя в жертву ради продолжения вида. То, что они говорят, имеет немного другой смысл: муравей умирает, и цель его смерти есть продолжение вида. Продолжение вида есть сила, которая действует через индивида, но которую индивид не в состоянии понять. Таким образом, идея является врожденной, и муравей руководствуется ею в том же смысле, в каком компьютер руководствуется программой.

Мы, менеджеры экологии (прошу прощения за то, что продолжаю таким образом и выхожу за рамки вашего вопроса — я закончу через несколько секунд), мы, менеджеры, понимаем великий танец, а потому можем решать, сколько форелей можно выловить и сколько ягуаров посадить в клетки, не нарушая баланса танца. Единственный организм, жизнью и смертью которого мы не претендуем распоряжаться, это человек. Почему?

Потому что человек иной. Человек понимает этот танец, тогда как другие танцоры — нет. Человек существо интеллектуальное.

Она говорит, а его мысли разбегаются. Он уже слышал это прежде, этот ее антиэкологизм. Со стихами про ягуаров нет проблем, думает он, но ты не заставишь свору австралийцев, стоящих вокруг овцы и слушающих ее дурацкое блеяние, писать о ней стихи. Не это ли и есть самое подозрительное во всей суете вокруг защиты прав животных: этим деятелям приходится выезжать на спинах задумчивых горилл, сексуальных ягуаров, милашек-панд потому, что истинный предмет их озабоченности — курицы и свиньи, не говоря уже о белых крысах или креветках — общественному мнению не интересен.

Вопрос задает Элейн Маркс, которая вчера перед лекцией произнесла вступительное слово.

— Вы в своей лекции говорили, что для оправдания нерелевантных различий (Есть ли разум у этого существа? Наделено ли это существо даром речи) между Homo и, например, другими приматами в недобросовестных целях использовались разные критерии.

В то же время сам факт, что вы можете приводить аргументы против такой логики, доказывает ее несостоятельность, означает, что вы имеете определенную веру в силу логики, истинной логики, в отличие от логики ложной.

Позвольте мне конкретизировать мой вопрос ссылкой на Лемюэля Гулливера. В «Путешествиях Гулливера» Свифт дает нам картинку утопии разума, страны так называемых гуигнгнмов, но выясняется, что в ней нет места для Гулливера, который волею Свифта являет собой максимальное приближение к нам, его читателям. Но кто из нас захотел бы жить в стране гуигнгнмов с ее рациональным вегетарианством, рациональным правительством, рациональным подходом к любви, браку и смерти? Да та же самая лошадь — разве она захочет жить в таком абсолютно зарегулированном, тоталитарном обществе? Для нас более насущен вопрос: а каковы достижения абсолютно зарегулированных обществ? Разве не факт, что они либо разваливаются, либо милитаризуются?

Суть моего вопроса вот в чем: не требуете ли вы слишком многого от человечества, когда просите нас жить без эксплуатации видов, без жестокости? Разве для человека не характернее принимать наше собственное представление о гуманности — даже если оно означает согласие с существованием плотоядных иеху внутри нас, — чем жить на манер Гулливера, который тщетно жаждет достигнуть недостижимого состояния? И эта недостижимость легко объяснима: такое состояние не отвечает природе Гулливера, а именно человеческой природе.

— Интересный вопрос, — отвечает его мать. — Для меня Свифт увлекательный писатель. Например, его «Скромное предложение». Каждый раз, когда существует чуть не всеобщее согласие относительно смысла той или иной книги, у меня ушки на макушке. Что касается «Скромного предложения», то все сходятся в том, что Свифт не имеет в виду то, что говорит или вроде бы говорит. Он говорит или вроде бы говорит, что ирландские семьи могли зарабатывать на жизнь, выращивая детей для стола их английских хозяев. Но мы говорим, что он не мог это иметь в виду, потому что мы все знаем: убивать и есть человеческих младенцев — чудовищная жестокость. В то же время, если подумать, продолжаем мы, англичане уже в некотором роде убивают детей, позволяя им голодать. Так что, если подумать, англичане уже и без того чудовищно жестоки.

Это в той или иной степени ортодоксальное прочтение. Но к чему, задаю я себе вопрос, то усердие, с которым этим пичкают молодых читателей? Вот так вы будете читать Свифта, говорят им учителя, только так и никак иначе. Если убивать человеческих детей — жестоко, то почему не жестоко убивать поросят? Если вы хотите, чтобы Свифт был любителем черного юмора, а не поверхностным памфлетистом, то вам, возможно, стоит исследовать атмосферу, благодаря которой его притча так легко усваивается.

Позвольте мне теперь обратиться к «Путешествиям Гулливера»

С одной стороны, вы имеете иеху, которые вызывают ассоциации с сырым мясом, запахом экскрементов и тем, что мы называем скотством. С другой стороны, вы имеете гуигнгнмов, которые вызывают ассоциации с травой, приятными запахами и рациональным распределением страстей. Между ними у вас есть Гулливер, который хочет стать гуигнгнмом, но втайне знает, что он иеху. Все это абсолютно ясно. Как и в случае со «Скромным предложением», вопрос в том, как мы это прочитываем.

Одно наблюдение. Лошади изгоняют Гулливера. Их формальный предлог для этого состоит в том, что он не отвечает стандартам рациональности. Истинная же причина в том, что он похож не на лошадь, а на нечто другое: фактически на одетого иеху. Поэтому: стандарт мышления, используемый плотоядными двуногими для оправдания собственного статуса, в такой же мере может использоваться травоядными четвероногими.

Стандарт мышления. Мне представляется, что автор «Путешествий Гулливера» поместил своих персонажей в рамки Аристотелева трехуровневого деления на богов, животных и людей. Пока человек пытается приписать трех субъектов к двум категориям — кто из них животные, кто люди? — ему не удастся истолковать притчу. Как не удастся и гуигнгнмам. Гуигнгнмы — своего рода боги, холодные, аполлонические. Они проверяют Гулливера на предмет его принадлежности к богам или животным. Они считают, что такая проверка адекватна. Мы, инстинктивно, — нет.

Вот что больше всего удивляло меня в «Путешествиях Гулливера» (и такой точки зрения вполне можно ожидать от прежней жительницы колонии): Гулливер всегда путешествует один. Гулливер отправляется в путешествия на поиски неизведанных земель, но не сходит на берег с вооруженным отрядом, *как это происходило в реальности*, и в книге Свифта ничего не говорится о том, что бы скорее всего произошло после мореплавательских подвигов Гулливера: вторичные экспедиции, экспедиции по колонизации Лилипутии или острова гуигнгнмов.

Вопрос, который задаю я: что случилось бы, если бы Гулливер и вооруженная экспедиция высадились, перестреляли несколько иеху, когда те стали угрожать им, а потом застрелили и съели лошадь? Что бы при этом случилось с притчей Свифта, в некоторой мере чрезмерно прямолинейной, в некоторой мере чрезмерно лишенной эмоциональности, в некоторой мере чрезмерно неисторической? Это наверняка сильно шокировало бы гуигнгнмов, они бы поняли, что, помимо богов и животных, существует и третья категория, а именно люди, к которой и принадлежит их бывший клиент Гулливер; более того: если лошади выступают за здравый смысл, то люди — за насилие.

Кстати, захват острова и убийство его обитателей — это как раз то, что сделали Одиссей и его спутники на Тринакии, священных островах Аполлона, за это бог безжалостно их наказал. И эта история, в свою очередь, кажется, взывает к более старым слоям веры, к временам, когда быки были богами, а убийство и поедание бога могло навлечь на тебя проклятие.

Поэтому — прошу простить за сумбурность этого ответа — да, мы не лошади, у нас нет их ясной, рациональной, обнаженной красоты, напротив, мы — не дотягивающие до лошадей приматы, известные под названием «люди». Вы говорите, что с этим ничего нельзя поделать, только принять этот статус, эту природу. Что ж, давайте так и поступим. Но давайте при этом используем историю Свифта на всю катушку и признаем, что в историческом прошлом принятие статуса человека повлекло за собой убиение и порабощение божественной расы, а иными словами, божественно сотворенных существ, и навлечение таким образом на себя проклятия.

* * *

Четверть четвертого, два часа до последнего выступления его матери. Он идет к своему кабинету по тропинкам, вдоль которых высажены деревья, на тропинки падают листья прошлой осени.

— Мама, ты и в самом деле считаешь, что поэтические классы могут послужить закрытию боен?

— Нет.

— Тогда к чему все это? Ты говорила, что устала от умных разговоров о животных, в которых силлогизмами доказывается, что у них есть душа или что у них нет души. Но разве поэзия не представляет собой разновидность умных разговоров: выражать восхищение перед мышцами больших кошек в стихах. Ты не хотела своей лекцией сказать, что разговоры ни к чему не приводят? Мне представляется, что тот уровень поведения, который ты хочешь изменить, слишком элементарный, слишком первобытный, чтобы к нему можно было воззвать посредством слов. Плотоядность выражает нечто воистину глубинное в человеческих существах, как и в ягуарах. Ты вряд ли собираешься кормить ягуаров соевыми бобами.

— Потому что ягуар от такой пищи умрет. А человек на овощной диете не умирает.

— Не умирает. Но он *не хочет* питаться вегетарианской пищей. Ему *нравится* есть мясо. Это какая-то атавистическая потребность. Грубая правда. И точно так же грубая правда состоит в том, что животные в некотором смысле заслуживают то, что получают. Зачем тратить время, пытаясь помочь им, когда сами себе они не помогают. Пусть они варятся в собственном соку. Если бы у меня спросили, каково всеобщее отношение к животным, которых мы едим, то я бы сказал — презрение. Мы плохо к ним относимся, потому что мы их презираем, а презираем мы их потому, что они не оказывают сопротивления.

— Я тебе не возражаю, — говорит его мать. — Люди сетуют, что мы относимся к животным как к предметам, хотя на самом деле мы относимся к ним как к военнопленным. Ты знаешь, что, когда открылись первые зоопарки, их владельцы вынуждены были защищать животных от нападений зрителей? Зрители считали, что животные находятся там для оскорблений и издевательств, как пленные во время триумфа. Мы воевали против животных, называли эту войну охотой, хотя на самом деле война и охота — в принципе одно и то же (Аристотель ясно понимал это[1]). Война продолжалась миллионы лет. Мы одержали окончательную победу всего несколько сотен лет назад, когда изобрели ружья. И только когда победа стала неоспоримой, мы нашли в себе силы сострадать им. Но наше сострадание — всего лишь тонкий слой, под которым более примитивная позиция. Военнопленный не принадлежит нашему племени. Мы можем поступать с ним так, как сочтем нужным. Мы можем принеси его в жертву нашим богам. Мы можем перерезать ему горло, вырвать

[1] Аристотель в своем трактате «Политика» писал: «Военное искусство можно рассматривать до известной степени как естественное средство для приобретения собственности, а искусство охоты есть часть военного искусства: охотиться должно как на диких животных, так и на тех людей, которые, будучи от природы предназначенными к подчинению, не желают подчиняться; такая война по природе своей справедлива».

его сердце, бросить его в огонь. Когда дело касается военнопленных, законы перестают действовать.

— И от этого ты и хочешь излечить человечество?

— Джон, я не знаю, чего я хочу сделать. Просто я не хочу молчать.

— Прекрасно. Но обычно военнопленных не убивают. Их превращают в рабов.

— Что ж, таковы и есть наши плененные стада: рабское население. Их работа состоит в том, чтобы кормить нас. Даже спаривание становится для них формой труда. Мы их не ненавидим, потому что они более не стоят нашей ненависти. Мы смотрим на них, как ты говоришь, с презрением.

Но остаются и такие животные, которых мы ненавидим. Например, крысы. Крысы не сдались. Они сопротивляются. Они объединяются в подпольные отряды в нашей канализации. Они не одерживают победу, но и не проигрывают. Я уж не говорю о насекомых и микробах. Они еще могут нас победить. И они наверняка переживут нас.

* * *

Последний акт представления, которое дает его мать в ходе визита, имеет форму дебатов. Ее оппонентом будет тот самый крупный блондин со вчерашнего обеда, который оказался Томасом О'Херном, профессором философии в Эпплтоне.

Было согласовано, что О'Херну будут предоставлены три возможности выразить свою точку зрения, а Элизабет — три возможности ответить. Поскольку О'Херн был настолько любезен, что заранее прислал ей конспект, она в целом имеет представление, о чем он будет говорить.

— Моя первая оговорка, касающаяся движения за права животных, — начинает О'Херн, — сводится к тому, что если это движение не хочет признавать своей исторической природы, то, как и движение за права человека, оно рискует превратиться в еще один крестовый поход Запада против традиций остального мира, потому что провозглашает универсальностью то, что на самом деле является всего лишь его стандартами.

Он продолжает кратким обзором становления обществ по защите животных в Британии и Америке девятнадцатого века.

— Когда речь заходит о правах человека, — говорит он, — другие культуры и другие религиозные традиции вполне адекватно отвечают, что у них есть собственные нормы и они не находят оснований перенимать таковые у Запада. Сходным образом, говорят они, у них есть собственные нормы обращения с животными, и они не видят оснований принимать наши, в особенности еще и потому, что наши нормы были введены совсем недавно.

В своем вчерашнем выступлении наш лектор нелицеприятно высказывался в адрес Декарта. Но не Декарт первым выступил с идеей о том, что животные принадлежат к иному виду, чем человечество, просто он по-новому сформулировал эту идею. Представление о том, что у нас есть обязанность перед самими животными относиться к ним с состраданием — а не выполнять эту обязанность прежде всего перед самими собой, — появилось совсем недавно, оно очень западное и очень англосаксонское. Пока мы настаиваем на том, что мы владеем универсальным этическим кодом, к которому слепы другие традиции, пока мы пытаемся навязать им наш код методами пропаганды или даже экономического давления, мы будем сталкиваться с их сопротивлением, и таковое сопротивление будет оправданно.

Наступает очередь Элизабет.

— Выраженная вами озабоченность, профессор О'Херн, весьма основательна, и я не уверена, что могу дать на это столь же основательный ответ. Вы, конечно, правы в том, что касается истории. Доброта к животным стала социальной нормой совсем недавно — в последние сто пятьдесят — двести лет, да и то лишь всего в одной части мира. Вы правы, когда связываете эту историю с историей борьбы за права человека, поскольку озабоченность судьбой животных является, исторически говоря, ответвлением более широкой озабоченности, свойственной человеку, — среди прочего, судьбой рабов и детей.

Однако доброта по отношению к животным — и здесь я использую слово *доброта* в его полном смысле, включающем то, что все мы принадлежим к одному виду, одной природе, — получила более широкое распространение, чем утверждаете вы. Домашние любимцы, например, ни в коей мере не западная причуда: первые европейцы в Южной Америке видели поселения, в которых человеческие существа и животные жили вместе, хотя и не в лучших условиях. И, конечно, дети во всем мире вполне естественно дружат с животными. Они не видят никакой линии разделения. Об этой линии они узнают в процессе обучения, точно так же узнают они, что имеют право убивать и есть животных.

Возвращаясь к Декарту, я бы хотела только сказать, что он видел разрыв континуума между животными и человеческими существами по причине своей неполной информированности. Наука во времена Декарта не знала ни больших обезьян, ни морских млекопитающих, а потому не имела оснований оспорить предположение, что животные не умеют думать. И, конечно, она не имела доступа к окаменелостям, которые наглядно показали бы градуированный континуум всех антропоидов, от высших приматов до Homo sapiens, — антропоидов, которые, нельзя не отметить, были истреблены человеком в ходе его восхождения к власти.

Хотя я и соглашаюсь с вашим аргументом насчет культурного высокомерия Запада, я полагаю, что те, кто был инициатором индустриализации жизненного цикла животных и меркантилизации их плоти, по праву должны во искупление своей вины быть и среди первых, привлеченных за это к суду.

О'Херн представляет свой второй тезис.

— Я читал научную литературу, — говорит он, — и выяснил, что усилия, которые были предприняты с целью показать, что животные могут мыслить стратегически, получать общие представления или коммуницировать с помощью символов, не увенчались успехом. Успехи, которых оказались способны достичь человекообразные обезьяны, сравнимы разве что с «достижениииями» человека, лишенного дара речи и страдающего сильной умственной деградацией. Если так, то разве не правильно отнести животных, даже высших животных, к абсолютно другому юридическому и этическому царству, а не к этой унизительной человеческой подкатегории? Нет ли некой мудрости в традиционном подходе, который говорит, что животные не могут иметь юридических прав, потому что они не личности, даже не потенциальные личности, каковыми являются человеческие эмбрионы? Разрабатывая правила взаимоотношений с животными, не разумнее было бы сделать так, чтоб такие правила применялись к нам и к нашему обращению с ними, как это и имеет место на настоящий момент, а не декларировать права, которые животные не могут потребовать, реализовать или даже понять?

Очередь Элизабет.

— Для адекватного ответа, профессор О'Херн, мне бы потребовалось больше времени, чем у меня есть, потому что я бы сначала хотела рассмотреть всю проблему прав и то, как мы их получаем. Поэтому позвольте мне поделиться с вами одним наблюдением: программа научных экспериментов, которая приводит вас к выводу, что животные недоразвиты, в высшей мере антропоцентрична. Она ценит способность животного найти выход из тупикового лабиринта, игнорируя тот факт, что, если бы исследователя, который сконструировал этот лабиринт, сбросили на парашюте в джунгли Борнео, он или она умерли бы от голода через неделю. Я даже пойду дальше. Если бы мне как человеческому существу сказали, что стандарты, по которым в этих экспериментах оцениваются животные, — это человеческие стандарты, я бы чувствовала себя оскорбленной. А вот эти эксперименты как раз и можно назвать недоразвитыми.

Бихевиористы, которые их сочиняли, заявляют, что мы приходим к пониманию того или иного явления только в ходе создания абстрактных моделей, а потом опробования этих моделей в реальности. Какая чушь. Мы приходим к пониманию мира, погружая себя и свой разум в сложности. Есть что-то самооглупляющее в том, как научный бихевиоризм отворачивается от сложности жизни.

Что касается разговоров о том, что животные слишком недоразвиты и глупы, чтобы говорить от своего имени, то рассмотрите следующую последовательность событий. Когда Альбер Камю был маленьким мальчиком и жил в Алжире, его бабушка попросила его принести курицу из клетки на их заднем дворе. Он принес и увидел, как бабушка отрезала курице голову кухонным ножом, а потом ловила кровь в миску, чтобы не загадить пол.

Предсмертный крик этой курицы запечатлелся в памяти мальчика так глубоко, что в 1958 году он написал страстное эссе против гильотинирования. В результате, частично и из-за этой полемической работы, смертная казнь во Франции была отменена. Кто теперь может сказать, что та курица не заговорила?[1]

О'Херн:

— Я делаю следующее заявление, предварительно обдумав его, осознавая, какие исторические ассоциации оно может вызвать. Я не считаю,

---

[1] Имеется в виду «Размышления о Гильотине» Альбера Камю. Последняя казнь через отсечение головы на гильотине была произведена в Марселе 10 сентября 1977 года во время президентства Жискара д'Эстена. Казненного, туниса по происхождению, звали Хамида Джандуби. Это была и последняя смертная казнь в Западной Европе.

что жизнь для животных важна в той же мере, что и для нас наша жизнь. Можно сказать с уверенностью, что животные, умирающие так же, как мы, инстинктивно противятся смерти. Но они не *понимают* смерть так, как понимаем ее мы, вернее сказать, так, как не удается понять ее нам. В человеческом разуме, когда он пытается понять смерть, происходит коллапс воображения, и этот коллапс воображения — графически обозначенный во вчерашней лекции — является основой нашего страха перед смертью. Такого страха не существует и не может существовать у животных, поскольку они не предпринимали попытки понять смерть, а значит, не терпели, как мы, поражения на этом пути, поражения в попытке овладеть этим знанием.

По этой причине я хочу высказать предположение, что смерть для животного есть нечто естественное, нечто такое, чему может противиться организм, но не противится душа. И чем ниже опускаемся мы по шкале эволюции, тем вернее это положение. Для насекомого смерть есть разрушение систем, которые поддерживают жизнь в организме, и ничего более.

Для животных смерть и жизнь неразрывно связаны, одно вытекает из другого. И только среди некоторых человеческих существ, наделенных очень живым воображением, мы видим такой острый ужас перед смертью, что они проецируют этот ужас и на другие существа, включая животных. Животные живут, а потом умирают, только и всего. Поэтому приравнивать мясника, который обезглавливает курицу, к палачу, который убивает человеческое существо, есть серьезная ошибка.

Эти события несравнимы. У них разный вес, их взвешивают на разных весах.

Это ставит перед нами вопрос о жестокости. Я бы сказал, что убивать животных не противозаконно, потому что их жизни не настолько важны для них самих, как наши для нас; в прежние времена сказали бы, что у животных нет бессмертной души. С другой стороны, противозаконной я бы назвал беспричинную жестокость. Поэтому важно выступать за человеческое отношение к животным, даже — и в особенности — на скотобойнях. Это долгое время и является целью организаций, заботящихся о благе животных, и за это я выражаю им признательность.

Мое самое последнее соображение касается того, что забота о животных в движении за права животных представляется мне удручающе абстрактной. Я хочу заранее извиниться перед нашим лектором за кажущуюся резкость того, что я сейчас скажу, но я убежден, что сказать это необходимо.

Из многих типов любителей животных, которых я вижу вокруг себя, позвольте мне выделить два. Это, с одной стороны, охотники, люди, которые ценят животных на самом элементарном нерефлекторном уровне, которые часами выслеживают и загоняют их, которые, убив их, получают удовольствие от вкуса их мяса. И это, с другой стороны, люди, которые почти не контактируют с животными, или по крайней мере с теми видами, защитой которых они озабочены, как то домашняя птица и скот, но в то же время хотят, чтобы все животные вели — в экономическом вакууме — утопическую жизнь, в которой все они будут чудесным образом накормлены и никто никем не будет съеден.

Кто из этих двоих, спрашиваю я, больше любит животных?

Именно потому, что борьба за права животных, включая и право на жизнь, слишком абстрактна, я нахожу ее неубедительной и, в конечном счете, бесполезной. Сторонники этого движения много говорят о едином сообществе с животными, но как они на самом деле будут жить в таком сообществе? Фома Аквинский утверждает, что дружба между людьми и животными невозможна, и я склонен согласиться с этим. Невозможно дружить ни с марсианином, ни с летучей мышью по той простой причине, что у вас с ними очень мало общего. Мы определенно можем *хотеть* жить в едином сообществе, но это не то же самое, что жить с ними в сообществе. Это просто образец ностальгии о жизни до грехопадения.

Снова очередь Элизабет, ее последнее слово.

— Каждый, кто говорит, что для животных жизнь значит меньше, чем для нас, не держал в руках животного, которое борется за жизнь. Все существо его без остатка направлено на эту борьбу. Когда вы говорите, что этой борьбе не хватает измерения интеллектуального или воображаемого ужаса, я соглашаюсь. Способ существования животных не подразумевает интеллектуального ужаса: все их существо в живой плоти.

Если мне не удается убедить вас, то лишь потому, что моим словам здесь недостает силы донести до вас целостность, неабстрактную неинтеллектуальную природу этого животного существа. Вот почему я побуждаю вас читать поэтов, которые возвращают живое, наэлектризованное бытие языку; а если поэты не трогают вас, то я побуждаю вас пройти рядом, бок о бок, с животным, которого гонят по желобу к его палачу.

Вы говорите, что смерть для животного не имеет смысла, потому что животное не понимает смерти. Я вспоминаю одного из ученых-философов, которого читала, готовясь ко вчерашней лекции. То, что он пишет, вызвало у меня вполне свифтовскую реакцию. Если это лучшее, что может предложить человеческая философия, сказала я себе, то я предпочитаю жить с лошадьми.

Можем ли мы, спрашивал философ, утверждать, что молочный теленок и в самом деле тоскует по матери? Имеет ли молочный теленок достаточно разума, чтобы оценить важность отношений с матерью, имеет ли молочный теленок достаточно разума, чтобы постичь смысл утраты матери, и знает ли молочный теленок, наконец, достаточно об утрате, чтобы понять: то, что он испытывает, есть чувство утраты?

О теленке, который не освоил понятий присутствия и отсутствия, понятий «я» и «другой», аргументирует этот автор, нельзя сказать, что он и в самом деле чувствует утрату по чему бы то ни было. Для того чтобы чувствовать утрату, животное сначала должно прослушать курс философии. И что же это за философия? Выбросьте ее в помойное ведро, говорю я. Какая польза от ее пустячных оригинальностей?

Для меня между философом, который говорит, что различие между человеком и не-человеком зависит от того, черная или белая у него кожа, и философом, который утверждает, что различие между человеком и не-человеком определяется тем, знает ли он разницу между подлежащим и сказуемым, больше сходства, чем несходства.

Обычно я настороженно отношусь к ограничительным мерам. Я знаю одного выдающегося философа, который утверждает, что просто не готов философствовать о животных с людьми, которые едят мясо. Я не уверена, что могу зайти так далеко, — если откровенно, то у меня не хватает мужества, — но я должна сказать, что не собираюсь лезть вон из кожи, чтобы познакомиться с джентльменом, чью книгу я сейчас цитировала. А конкретнее, я не собираюсь лезть вон из кожи, чтобы преломить с ним хлеб.

Готова ли я обсуждать с ним всевозможные идеи? Вот он, критический вопрос. Обсуждения возможны, когда для них есть общая почва. Когда между оппонентами значительные разногласия, мы говорим: «Пусть они поспорят и в ходе спора выяснят различия между ними и, таким образом, сблизятся хотя бы на дюйм. Возможно, между ними нет ничего общего, но по крайней мере у них есть такое общее, как логика».

В этой ситуации, однако, я не уверена, хочу ли я согласиться с тем, что у меня с моим оппонентом общая логика. Не хочу — в том случае, если вся многовековая философская традиция, к которой он принадлежит, основывается на этой логике и восходит к Декарту и еще дальше, через Фому Аквинского и Августина, к стоикам и Аристотелю. Если то, что у нас еще остается общего, есть логика, и если логика определяет разницу между мной и молочным теленком, то спасибо, не надо, я поговорю с кем-нибудь другим.

На этом декан Арендт вынужден закрыть дискуссию, которая становится все более желчной, агрессивной, ожесточенной. Он, Джон Бернард, уверен: это совсем не то, чего хотели Арендт или его комитет. Что ж, они должны были спросить у него, прежде чем приглашать его мать. Он бы им объяснил.

* * *

Уже за полночь, он с Нормой в постели, он вымотан, в шесть ему нужно вставать и везти мать в аэропорт. Но Норма в ярости и не собирается сдаваться.

— Это просто какой-то извращенный вкус. А извращенный вкус — это всегда упражнение в силе. У меня не хватает терпения, когда она приезжает сюда и пытается вынудить людей, в особенности детей, переменить их привычки питания. А теперь еще эти абсурдные публичные лекции! Она своим авторитетом пытается воздействовать на все общество!

Джон хочет спать, но не может предать свою мать.

— Она абсолютно искренна, — бормочет он.

— Это не имеет ни малейшего отношения к искренности. У нее в принципе нет самооценки. А поскольку она не умеет оценивать собственные мотивы, она и кажется искренней. Сумасшедшие всегда искренни.

Он, вздохнув, ввязывается в спор.

— Я не вижу никакой разницы между ее отвращением к мясоедству и моим отвращением к поеданию улиток или саранчи. Я тоже не умею оценивать собственные мотивы, и мне это совершенно безразлично. Мне просто это кажется отвратительным.

Норма фыркает.

— Ты не читаешь публичных лекций, не выдвигаешь псевдофилософских аргументов против поедания улиток. Ты не пытаешься превратить свое частное извращение в общественное табу.

— Может быть. Но почему не попытаться увидеть в ней проповедника, социального реформатора, а не эксцентричную старуху, которая пытается навязать свои предпочтения другим людям?

— Ты хочешь видеть в ней проповедника — бога ради. Но посмотри на всех других проповедников и на их безумные схемы разделения человечества на спасенных и проклятых. Ты хочешь, чтобы твоя мать пребывала в такой компании? Элизабет Костелло и ее Второй ковчег с ее собаками, кошками, волками, и все они, конечно, не замечены в грехе мясоедства, я уж не говорю о вирусах малярии, бешенства и СПИДа, которые она хочет сохранить, чтобы ее Новый Дивный Мир был богаче.

— Норма, ты заговариваешься.

— Я не заговариваюсь. Я бы испытывала к ней больше уважения, если бы она не пыталась исподволь компрометировать меня своими рассказами детям о бедненьких молочных телятах и о том, что с ними делают нехорошие люди. Я уже устала от того, как они осторожно едят и спрашивают: «Мама, это не молочный теленок?», когда я кормлю их курицей или тунцом. Это типичное силовое давление. Ее великий герой Франц Кафка играл в ту же игру со своей семьей. Отказывался есть это, есть то, говорил, что предпочел бы голодать. Вскоре все вокруг чувствовали себя виноватыми, если ели в его присутствии, а он сидел и чувствовал себя вершиной добродетели. Это отвратительная игра, и я не допущу, чтобы дети играли против меня.

— Через несколько часов она улетит, и мы вернемся к нормальной жизни.

— Хорошо. Попрощайся с ней от моего имени. Я рано вставать не собираюсь.

* * *

Семь часов, солнце только-только поднимается над горизонтом, он с матерью на пути в аэропорт.

— Извини Норму, — говорит он. — Она все время была под стрессом. Не думаю, что ты могла ждать от нее сочувствия. Может быть, кто-то мог бы сказать это и обо мне. Ты приехала так ненадолго, у меня не было времени понять, по каким причинам ты так озаботилась проблемами животных.

Она смотрит на двигающиеся туда-сюда дворники на ветровом стекле.

— Причины эти таковы, — говорит она, — что я не хотела тебе их объяснять. Или не отважилась. Когда я думаю о словах, они кажутся мне настолько вопиющими, что их лучше произносить в подушку или в ямку в земле, как в случае с царем Мидасом.

— Я потерял нить. Что такое ты не можешь сказать?

— То, что я больше не понимаю, где нахожусь. Я вроде бы абсолютно легко вращаюсь среди людей, у меня с ними абсолютно нормальные отношения. Возможно ли, спрашиваю я себя, чтобы все они были соучастниками преступления такого масштаба, что просто дуреешь? Не выдумываю ли я все это? Вероятно, я сошла с ума! Но я каждый день вижу свидетельства. Те самые люди, которых я подозреваю, дают такие свидетельства, демонстрируют это, предлагают это мне. Трупы. Фрагменты тел, купленные ими за деньги.

Это как если бы я приехала в гости к друзьям и сделала там несколько вежливых замечаний об абажуре в их гостиной, а они бы ответили мне: «Да, миленький абажурчик, он сделан из кожи польских евреев, мы считаем, что это лучшая кожа — кожа молодых еврейских девственниц из Польши». Потом я иду в их туалет и вижу на обертке для мыла слова «100-процентное человеческое стеариновое мыло из Треблинки». Уж не сплю ли я, спрашиваю я себя. Что это за дом?

Но я не сплю. Я смотрю в твои глаза, в глаза Нормы и детей и вижу только доброту, человеческую доброту. Успокойся, говорю я себе. Ты делаешь из мухи слона. Это жизнь. Все остальные как-то мирятся с этим, почему же не можешь ты? *Почему не можешь ты*?

Она поворачивает к нему грустное лицо. Чего она хочет, думает он. Может быть, она хочет, чтобы я за нее ответил на ее вопрос?

Они еще не доехали до шоссе. Он съезжает на обочину, выключает двигатель, обнимает мать. Вдыхает запах кольдкрема, старой плоти.

— Ну-ну, успокойся, — шепчет он ей на ухо. — Успокойся. Скоро все кончится.

Урок 5
ГУМАНИТАРНЫЕ НАУКИ В АФРИКЕ

I

Она не встречалась с сестрой двенадцать лет со дня похорон матери в тот дождливый день в Мельбурне. Эта сестра (о которой она по-прежнему думает как о Бланш, но которая так давно известна обществу под именем «сестра Бриджет», что и сама, вероятно, думает о себе как о Бриджет), следуя своему призванию, переехала — кажется, навсегда — в Африку. Она получила классическое образование, потом прошла переподготовку на миссионера-медика, выросла до администратора больницы немалых размеров в сельском Зуленде. Поскольку в районе катастрофическая ситуация со СПИДом, больница Святой Марии в Марианхилле стараниями Бланш все больше внимания стала уделять детям, инфицированным от рождения. Два года назад Бланш написала книгу «Жизнь ради надежды» — о работе Марианхилла. Неожиданно книга завоевала популярность. Она совершила турне по Канаде и Штатам, читала лекции, сообщала о деятельности Ордена[1], со-

---

[1] *Марианхилл* — пригородное поселение близ Пайнтауна в провинции Квазулу-Натал, ЮАР. Здесь находится католическая миссия, основанная в 1882 году как монастырь Траппистского ордена. Название происходит от слияния двух имен — девы Марии и святой Анны.

бирала средства; «Ньюсуик» опубликовала статью о ней. Таким образом, оставив академическую карьеру ради жизни в тяжких трудах и безвестности, Бланш вдруг стала знаменитостью, известность ее приобрела такие масштабы, что университет страны, в которой она поселилась, присвоил ей почетную степень.

Ради этой степени, ради церемонии ее присуждения младшая сестра Бланш, Элизабет, приехала в страну, которую она не знает и никогда особо не хотела узнать, в этот уродливый город (она прилетела сюда всего несколько часов назад и уже в иллюминатор увидела эти акры израненной земли и громадные бесплодные отвалы). Она здесь, и она без сил. Несколько часов ее жизни бездарно потеряны в полете над Индийским океаном; пустые надежды — когда-нибудь отыграть эти часы. Ей перед встречей с Бланш требуется вздремнуть, взбодриться, вернуть свое чувство юмора; но она слишком беспокойна, слишком сбита с толку, чувствует себя слишком — неясно ощущает она — нехорошо. Неужели она подхватила что-то в самолете? Заболеть среди незнакомых людей — какой кошмар! Она молится о том, чтобы чутье подвело ее.

Их разместили в одном отеле — сестру Бриджет Костелло и миз Элизабет Костелло. На организационном этапе им задали вопрос, хотят ли они остановиться в отдельных номерах или разделить большой совместный. Отдельные номера, ответила она; и предположила, что такой же выбор сделала и Бланш. Она и Бланш никогда не были по-настоящему близки; у нее нет ни малейшего желания теперь, когда они из женщин средних лет превратились, если уж говорить откровенно, в старух, слушать ее молитвы на сон грядущий или видеть, какое нижнее белье носят сестры Марианского ордена.

Она распаковывает чемодан, суетится, включает телевизор, выключает. Каким-то образом посредине всего этого она засыпает на спине, в туфлях и в одежде. Будит ее телефонный звонок. Она на ощупь находит трубку. Где я? — думает она. — Кто я?

— Элизабет? — раздается голос. — Это ты?

Они встречаются в вестибюле отеля. Она думала, что для сестер ордена сделаны послабления в смысле одежды. Но если и так, то эти послабления обошли Бланш. На ней апостольник, простая белая блуза, серая юбка до середины голени, черные туфли на толстой подошве — все то, что было стандартом ордена и много десятилетий назад. Ее лицо изборождено морщинами, кисти рук покрыты коричневатыми пятнами. Элизабет думает, что ее сестра из тех женщин, которые доживают до девяноста. *Тощая* — вот то слово, которое помимо воли приходит ей на ум, *тощая, как цыпленок*. Что же касается того, что видит перед собой Бланш и что стало с той сестрой, которая осталась жить в миру, то об этом лучше не думать.

Они обнимаются, заказывают чай. Говорят о всяких мелочах. Бланш — тетушка, хотя никогда не вела себя как тетушка, так что ей приходится выслушать новости о племяннике и племяннице, которых она и видела-то всего два-три раза и кто для нее чуть ли не чужие люди. Даже пока они говорят, Элизабет спрашивает себя: *Я ради этого сюда прилетела — ради того, чтобы скользнуть губами по ее щеке, обменяться усталыми словами, сделать жест якобы в сторону оживления прошлого, которое уже почти умерло*?

Семья. Семейное сходство. Две старухи в чужом городе, прихлебывают чай, скрывают друг от друга взаимное разочарование. Что-то такое, что может продраться на поверхность, в этом нет сомнений. Какая-то история, которая прячется, незаметная, как мышь в углу. Но усталость не позволяет ей здесь и сейчас осознать это, зафиксировать.

— В девять тридцать, — говорит Бланш.

— Что?

— В девять тридцать. Нас заберут в девять тридцать. Встретимся там. — Она ставит свою чашку. — У тебя усталый вид, Элизабет. Поспи. Мне нужно подготовить речь. Меня просили произнести речь. Прощай, мой ужин.

— Речь?

— Обращение. Я завтра выступлю с обращением к выпускникам. Боюсь, тебе придется высидеть это.

II

Она сидит вместе с другими знаменитостями в первом ряду. Много лет прошло с тех пор, как она в последний раз была на церемонии выпуска. Конец академического года: летняя жара здесь, в Африке, такая же невыносимая, как и дома.

Судя по количеству одетых в черное молодых людей за ее спиной, в этом году выпускается около двухсот гуманитариев. Но первая в этой очереди — Бланш, единственная, кто удостоен почетной степени. Ее представляют собравшимся. Облаченная в алую мантию доктора, преподавателя, она стоит перед ними, сцепив руки, а университетский оратор зачитывает список ее достижений. Потом ее проводят к месту ректора. Она преклоняет колено, и дело сделано. Долгие аплодисменты. Сестра Бриджет Костелло, Христова невеста, доктор гуманитарных наук, которая своей жизнью и работой на некоторое время вернула блеск званию миссионера.

Она занимает свое место за кафедрой. Настало время ей, Бриджет Бланш, произнести речь.

— Уважаемый ректор, — говорит она, — уважаемые преподаватели, вы оказываете мне честь сегодня, и я всей душой благодарю вас, но принимаю ваш жест не только на свой счет, но и на счет тех десятков людей, которые около полувека отдавали свой труд и любовь детям Марианхилла, а через этих малюток — и нашему Господу.

Та форма, которую вы выбрали, чтобы оказать нам уважение, естественна для вас — это присуждение ученой степени, вернее, того, что у вас называется докторской степенью в litterae humaniores, в гуманитарных науках[1], или, в более разговорной форме, гуманитарной степенью. Рискуя затронуть темы, в которых вы осведомлены лучше меня, я хочу воспользоваться этой возможностью, чтобы сказать несколько слов о гуманитарных науках, об

---

[1] Использование в оригинале слово humanities несколько шире по своему значению, чем выбранный здесь перевод «Гуманитарные науки». Приведем определения понятия humanities, которое приводится в Webster's Encyclopedic Unabridged Dictionary: а. Изучение классических языков и классической литературы. б. Латинская и греческая классика как предмет исследования. в. Литература, философия, искусство и пр. как отдельные виды наук. г. Изучение литературы, философии, искусства.

их истории и нынешнем положении, а кроме того, и о человечестве в целом. Позвольте мне выразить смиренную надежду на то, что моя речь, возможно, имеет отношение к ситуации, в которой оказались вы, гуманитарии, не только в Африке, но и во всем мире. Я имею в виду ту сложную ситуацию, в которой оказались ваши науки.

Для того чтобы быть добрыми, мы иногда должны быть жестокими, поэтому позвольте мне сначала напомнить вам: не высшая школа положила начало тому, что мы сегодня называем гуманитарными науками, но что ради большей исторической точности я далее буду называть studia humanitatis[1], или науки о человеке и его природе, в отличие от studia divinitatis, наук, относящихся к божественной сфере. Не высшая школа положила начало наукам о человеке, а когда она в конечном счете включила науки о человеке в свою научную программу, то не стала для них особенно любящим родителем. Напротив, высшая школа приняла науки о человеке только в высушенной, усеченной форме. Эта усеченная форма сводилась к изучению письменных текстов — текстологии; наука о человеке в высшей школе, начиная с пятнадца-

[1] Studia humanitatis тесно связано с движением ренессансного гуманизма и имело разные толкования даже среди современников, например: «изучение всего, что является целостностью человеческого духа», или «познание вещей, которые относятся к жизни и нравам и совершенствуют человека». Неоднозначны и современные толкования, но в целом studia humanitatis считается областью деятельности, которая заключалась в изучении и преподавании известного набора дисциплин (грамматика, риторика, поэзия, история и моральная философия, включая политическую философию) на основе классической греко-латинской образованности.

того века, настолько тесно привязана к изучению письменных текстов, что оба предмета вполне могут носить одно название.

Поскольку мне для моей лекции не предоставили все утро (ваш декан попросил меня ограничиться пятнадцатью минутами максимум — «максимум» его собственное слово), я скажу то, что хочу сказать, без пошаговой аргументации и исторических свидетельств, которые для вас (собрания ученых и студентов) хлеб насущный.

Изучение письменных текстов, я могла бы говорить об этом долго, будь у меня больше времени, вдохнуло жизнь в науки о человеке, тогда как науки о человеке по заслугам могут быть названы историческим движением, а именно гуманистическим движением. Но энергия, полученная наукой о письменных текстах, скоро иссякла. История изучения письменных текстов стала после этого историей тщетных попыток вернуть ее, эту науку, к жизни.

Тем текстом, ради которого и изобрели эту науку, была Библия. Ученые, занимавшиеся текстами, видели свою задачу в том, чтобы восстановить истинное послание, содержащееся в Библии, в особенности истинность учения Иисуса. Для описания своей работы они использовали метафору — воскресение или возрождение. Читатели Нового Завета должны были впервые лицом к лицу встретиться с восставшим, родившимся заново Христом, Christus renascens, более не затененным туманом схоластических истолкований и комментариев. Имея в виду именно эту цель, ученые сначала изучили греческий, потом иврит, потом (позднее) другие языки Ближнего Востока. Изучение письменных текстов означало, во-первых, восстановление истинного текста, потом правильный перевод этого текста; а правильный перевод оказался неотделим от правильной интерпретации, так же как и правильная интерпретация оказалась неотделимой от правильного понимания культурной и исторической матрицы, из которой появился текст. Таким образом возникло понимание того, что исследования, проводимые в разных областях — лингвистические, литературные (как исследования толкований), культурные и исторические — исследования, которые составляют костяк так называемых гуманитарных наук, — подлежат объединению в одну науку.

Вы можете вполне обоснованно спросить: зачем называть это созвездие исследований, посвященных восстановлению истинного слова Господня, studia humanitatis? Задавать такой вопрос, как выясняется, есть то же самое, что спрашивать, почему studia humanitatis расцвели только в пятнадцатом веке Божьего промысла, а не на несколько столетий раньше.

Ответ в немалой степени связан с историческим событием: закатом и в конечном счете падением Константинополя и бегством ученых-византийцев в Италию. (Памятуя о правиле пятнадцати минут, установленном вашим деканом, я не буду говорить о живом присутствии Аристотеля, Галена и других греческих философов в средневековом западном христианстве и о роли завоеванной арабами Испании в передаче их учения.)

Timeo Danaos et dona ferentes[1]. Дары, принесенные людьми с Востока, включали в себя не только

---

[1] Бойтесь данайцев, дары приносящих (*лат.*).

грамматики греческого языка, но и тексты авторов греческой античности. Лингвистические знания, которые следовало применить к греческому тексту Нового Завета, можно было получить, только погрузившись в эти соблазнительные дохристианские тексты. И вскоре, как можно предположить, изучение этих текстов, которые впоследствии были названы классическими, стало самоцелью.

Более того, изучение античных текстов оказалось оправданным по соображениям не только лингвистическим, но и философским. Появилось представление, что Иисус был послан во спасение человечества. Во спасение от чего? От состояния неспасения, конечно. Но что мы знаем о человечестве в неспасенном состоянии? Единственные основательные сведения, касающиеся всех сторон жизни, это сведения античные. Таким образом, для понимания цели инкарнации — иными словами, для понимания смысла искупления — мы должны с помощью классики погрузиться в изучение studia humanitatis.

Итак, из краткого приближенного обзора ясно, что изучение Библии и исследования греческой и римской античности тесно соединились (хотя и с извечным антагонизмом), и в результате получилось, что наука о текстах и сопутствующие ей дисциплины подпали под общее название «гуманитарные науки».

Но хватит истории. Хватит спрашивать, почему вы, такие разные, такие не похожие друг на друга, какими вы, возможно, себя ощущаете, оказались сегодня утром здесь, под одной крышей, как выпускники-гуманитарии. И теперь за несколько оставшихся минут я хочу сказать вам, почему я —

не одна из вас и не несу вам слова утешения, несмотря на щедрость вашего жеста по отношению ко мне.

Послание, которое я несу, вот о чем: вы давно уже сбились с пути, случилось это, вероятно, пять столетий назад. Горстка людей, в чьей среде возникло движение, продолжателями которого, увы, в прискорбно малом числе, являетесь вы, горела желанием, по крайней мере поначалу, найти Слово Истины, под которым они понимали тогда, а я понимаю теперь, искупительное слово.

Это слово невозможно найти в классике, независимо от того, что вы под классикой понимаете — Гомера и Софокла или Гомера, Шекспира и Достоевского. В более счастливый, чем нынешний, век люди имели возможность обманывать себя вымыслом о том, что античная классика предлагала учение и образ жизни. В наши времена мы пришли к выводу, довольно отчаянному, что само по себе изучение классики может предложить образ жизни, а если не образ жизни, то, по меньшей мере, образ зарабатывания средств к существованию, которое, если и нельзя с уверенностью доказать его пользу, по крайней мере ни с какой стороны не обвиняется в принесении вреда.

Но порыв первого поколения ученых-текстологов невозможно так легко отвратить от его первоначальной цели. Я дочь католической церкви, не реформистской церкви, но я аплодирую Мартину Лютеру, когда он поворачивается спиной к Эразму Роттердамскому, говоря, что его коллега, несмотря на его огромный дар, был соблазнен изучением тех областей, которые по высшим стандартам не имеют значения. Studia humanitatis умирали долго, но сегодня, в конце второго тысячелетия нашей эры, они воистину на смертном одре. Тем горше будет эта смерть, скажу я, что причиной ее — монстр, абсолютизированный как первый и основополагающий принцип вселенной: монстр логики, механической логики. Но эта другая история для другого дня.

III

На этом благодарственное слово Бланш закончилось, но ее проводили не только аплодисментами, но и шумом с первого ряда, чем-то вроде ропота всеобщего недоумения. Деловая повестка дня возобновляется: выпускников одного за другим вызывают для получения дипломов. Церемония завершается официальной процессией, в которой участвует и Бланш в ее красной мантии. После этого Элизабет свободна — может побродить среди гостей, послушать их разговор.

Оказывается, недовольный шумок был вызван лишь чрезмерно затянувшейся церемонией. И только в фойе слышит она упоминание о речи Бланш. Высокий человек в мантии с горностаевой оторочкой оживленно разговаривает с женщиной в черном.

— Что она о себе думает, — говорит он. — Использует возможность, чтобы прочесть нам лекцию! Миссионерка из глуши Зулуленда — что она знает о гуманитарных науках? И эта жесткая католическая линия — что случилось с экуменизмом?

Она — гостья, гостья университета, гостья сестры, гостья страны. Если эти люди хотят чувствовать себя оскорбленными — это их право. Она не собирается вмешиваться. Пусть Бланш сама ведет свои сражения.

Но оказывается, что не вмешиваться не так уж просто. Назначен официальный ланч, и она среди приглашенных. Она садится и обнаруживает, что рядом с ней сидит тот самый высокий мужчина, который за прошедшее время успел избавиться от своего средневекового облачения. У нее нет аппетита, желудок будто завязался узлом, к горлу подступает тошнота, она бы предпочла вернуться в отель, лечь, но она делает над собой усилие.

— Позвольте представиться, — говорит она. — Меня зовут Элизабет Костелло. Сестра Бриджет — моя сестра. Я имею в виду — сестра по крови.

Элизабет Костелло. Она видит, что ее имя ничего ему не говорит. Его имя написано на стоящей перед ним карточке: профессор Питер Годвин.

— Насколько я понимаю, вы здесь преподаете, — продолжает она, завязывая разговор. — Что вы преподаете?

— Литературу. Английскую литературу.

— Видимо, то, что говорила моя сестра, задело вас за живое. Не обращайте на нее внимания. Просто она из тех, кто рубит сплеча. Она настоящий боевой топор и любит хорошую схватку.

Бланш, сестра Бриджет, боевой топор, сидит на другом конце стола, погруженная в другой разговор. Она их не может услышать.

— На дворе безбожный век, — отвечает Годвин. — Стрелки часов невозможно повернуть вспять. Невозможно обвинять институцию за то, что она изменяется со временем.

— Говоря «институция», вы имеете в виду университеты.

— Да, университеты, но конкретнее, гуманитарные факультеты, гуманитарные науки, которые остаются стержнем любого университета. Гуманитарные науки — стержень университетов. Может быть, она человек сторонний, но если бы у нее попросили определить суть университетов сегодня, их сущностные дисциплины, то она бы сказала: это коммерция. Так это выглядит из Мельбурна, штат Виктория; и она не удивилась бы, если бы так же это выглядело и из Йоханнесбурга, Южная Африка.

— Но разве об этом говорила моя сестра: разве она призывала повернуть вспять стрелки часов, разве она не говорила нечто более интересное, более смелое — что с самого начала в гуманитарные науки было заложено что-то порочное? Что-то ошибочное было в возлагании надежд и ожиданий на гуманитарные науки, которые не могли этих надежд и ожиданий оправдать? Я необязательно согласна с ней, но я именно так поняла ее аргументацию.

— Надлежащим объектом изучения человечества является человек, — говорит профессор Годвин. — А природа человечества — природа падшая. Даже ваша сестра согласилась бы с этим. Но это не должно мешать нашим попыткам... попыткам улучшить эту природу. Ваша сестра хочет, чтобы мы отказались от человека и вернулись к богу. Я именно это и имею в виду, когда говорю о повороте стрелок часов. Она хочет вернуться во времена до Возрождения, к эпохе до гуманистического движения, о котором она говорила, до относительного просвещения двенадцатого века. Она хочет, чтобы мы вернулись к христианскому фатализму того, что я бы назвал Низким средневековьем.

— Зная мою сестру, я бы не сказала, что в ней есть склонность к фатализму. Но вы должны сами поговорить с ней, донести до нее свою точку зрения.

Профессор Годвин принимается за свой салат. Наступает молчание. С другой стороны стола ей улыбается женщина в черном, Элизабет решает, что это жена Годвина, и улыбается ей в ответ.

— Мне послышалось, вы назвали себя Элизабет Костелло? — говорит она. — Случайно не писатель Элизабет Костелло?

— Да. Этим я зарабатываю себе на жизнь — писательством.

— И вы сестра сестры Бриджет.

— Да. Но у сестры Бриджет много сестер. А я всего лишь сестра по крови. Другие же — ее настоящие сестры, сестры по духу.

Хотя она намеревалась сделать легкое замечание, но, кажется, ее слова нервируют миссис Годвин. Может быть, поэтому люди здесь возбуждаются, слушая Бланш: та использует такие слова, как дух и Бог, ненадлежащим образом, в контексте, в котором их использовать некорректно. Что ж, она неверующая, но в данном случае она на стороне Бланш.

Миссис Годвин говорит мужу, поедая его взглядом:

— Элизабет Костелло, дорогой, — писатель.

— О да, — отвечает профессор Годвин; но это имя явно ничего не значит для него.

— Мой муж живет в восемнадцатом веке, — говорит миссис Годвин.

— О да. Хорошее местечко. Век разума.

— Я не думаю, что представление о том времени как о чем-то простом верно, — говорит профессор.

Кажется, он хочет добавить что-то, но не делает этого.

Разговор с Годвинами явно идет на спад. Она поворачивается к человеку справа от нее, но он занят другой беседой.

— Когда я училась в университете, — говорит она, снова поворачиваясь к Годвину, — а это было в начале 1950-х годов, мы много читали Дэвида Лоуренса. Мы читали и классику, но наша настоящая энергия уходила не на нее. Дэвид Г. Лоуренс, Т. С. Элиот — эти писатели занимали наши умы. Может быть, Блейк из восемнадцатого века. Может быть, Шекспир, потому что, как все мы знаем, он выходит за рамки своего времени. Лоуренс захватывал нас, потому что предлагал некую форму спасения. Если мы будем почитать темных богов, говорил он нам, и блюсти их ритуалы, то спасемся. Мы верили ему. По намекам, оброненным мистером Лоуренсом, мы уходили из дома и почитали темных богов наилучшим образом. Что ж, наше поклонение не спасло нас. Ложный пророк, так назвала бы я его теперь, задним умом.

Я хочу сказать, что наше буквалистское понимание книг в студенческие годы объясняется тем, что мы искали наставлений, наставлений в нашей растерянности. Мы находили такие наставления у Лоуренса или у Элиота, раннего Элиота: возможно, наставления иного рода, но все равно это были наставления — как мы должны прожить наши жизни. Остальное наше чтение, по сравнению с этим, было зубрежкой, чтобы сдать экзамены.

Если гуманитарные науки хотят выжить, то они, безусловно, должны учитывать эти энергии и жажду наставления: жажду, которая по большому счету есть поиск спасения.

Она наговорила много слов, больше, чем собиралась, и теперь в наступившей тишине она видит, что ее слушали и другие присутствующие. Даже ее сестра повернулась к ней.

— Когда сестра Бриджет, — громко говорит декан во главе стола, — предложила нам пригласить вас на это счастливое событие, мы не поняли, что среди нас будет та самая Элизабет Костелло. Добро пожаловать. Мы вам рады.

— Спасибо, — отвечает она.

— Часть из того, что вы говорили я не мог не услышать чисто по законам физики, — продолжает декан. — Значит, вы согласны с вашей сестрой в ее мрачном взгляде на будущее гуманитарных наук?

Она должна тщательно выверять свои слова.

— Я всего лишь говорила, — отвечает она, — что наши читатели — в особенности, наши молодые читатели — приходят к нам с определенным запросом, и если мы не можем или не хотим удовлетворять этот их запрос, то нам не стоит и удивляться, если они отворачиваются от нас. Но у нас с сестрой разный бизнес. Она сказала вам, что она думает. Что касается меня, то я бы сказала, что если книга научит нас понимать самих себя, то этого будет достаточно. Любой читатель должен удовлетвориться этим. Или почти любой читатель.

Они смотрят на ее сестру в ожидании ее реакции. Учить нас понимать самих себя: что это еще, если не studium humanitatis?

— Это обмен мнениями за ланчем, — говорит сестра Бриджет, — или мы говорим серьезно?

— Мы говорим серьезно, — отвечает декан. — Мы серьезны.

Вероятно, Элизабет имеет смысл пересмотреть мнение о нем. Возможно, он не просто какой-то очередной бюрократ от науки, совершающий движения, надлежащие принимающей стороне, а душа, которая жаждет общения с другой душой. Нельзя исключать и такую возможность. Что говорить, может быть, это то, что в глубине своих существ представляют собой все они: страждущие души. Она не должна спешить с выводами. В чем в чем, а в уме этим людям не откажешь. И теперь они уже должны понять, что в сестре Бриджет, нравится им это или нет, они имеют человека, выходящего за рамки ординарности.

— Мне нет необходимости сверяться с романами, — говорит ее сестра, — чтобы знать, на какую мелочность, какую низость, какую жестокость способен человек. С этого мы и начинаем, все мы. Мы падшие существа. Если изучение человечества сводится всего лишь к тому, чтобы показывать нам наши темные задатки, то я не собираюсь тратить на это время — у меня есть другие дела, получше. Если же, с другой стороны, изучение человечества должно быть изучением того, кем может стать возрожденный человек, то это другая история. Впрочем, вы уже достаточно наслушались лекций для одного дня.

— Но ведь именно за это и выступали гуманисты и эпоха Возрождения, — говорит молодой человек, сидящий рядом с миссис Годвин. — За тот род людской, каким род людской может быть. За возвышение человека. Гуманисты не были тайными атеистами. Они даже не были тайными лютеранами. Они были христианами-католиками, как и вы, сестра. Вспомните Лоренцо Валлу[1]. Валла не имел ничего против церкви, просто он знал греческий лучше, чем Иероним Стридонский[2], и указал на некоторые ошибки, которые совершил Иероним при переводе Нового Завета. Если бы церковь согласилась с принципом, что Вульгата[3] Иеронима является творением человека, а потому может быть улучшена, а не является самим Словом Господа, то, возможно, вся история Запада пошла бы другим путем.

Бланш хранит молчание. Молодой человек продолжает.

— Если бы церковь в целом была в состоянии признать, что ее учения и вся ее система верований основаны на текстах, а эти тексты предрасположены, с одной стороны, ко всевозможным ошибкам, а с другой стороны, к огрехам при пе-

---

[1] *Лоренцо Вала* (1407–1457) — итальянский гуманист, католический священник. Более всего известен своим текстуальным анализом, которым доказал, что «Константинов дар» (дарственный акт Константина Великого римскому папе Сильвестру) является подделкой.

[2] *Софроний Евсовий Иероним*, или *Иероним Стридонский* (342–419 или 420) — церковный писатель, аскет, создатель канонического латинского текста Библии. Почитается в православной и католической традиции как святой и один из учителей Церкви.

[3] *Вульгата* (от лат. Biblia Vulgata — «Общепринятая Библия») — латинский перевод Священного Писания, основанный на трудах Иеронима Стридонского. Предыдущим (до Вульгаты) латинским переводам Библии присвоено название Vetus Latina. С XVI века Вульгата является официальной латинской Библией католической церкви.

реводе, потому что перевод всегда несовершенный процесс, и если бы церковь к тому же была способна согласиться с тем, что интерпретация текстов — дело сложное, чрезвычайное сложное, а не присваивала себе монополию на интерпретацию, тогда сегодня не было бы между нами этого спора.

— Но как иначе мы можем узнать, насколько трудно дело интерпретации, — говорит декан, — если не через постижение определенных исторических уроков, уроков, которые церковь пятнадцатого века вряд ли могла предвидеть?

— Каких уроков?

— Таких, как контактов с сотнями других культур, у каждой свой язык, своя история, своя мифология и свой уникальный взгляд на мир.

— Тогда я бы сказал, что гуманитарные науки и только гуманитарные науки, — говорит молодой человек, — и подготовка, которую дают гуманитарные науки, только они позволят нам найти путь в этом новом мультикультурном мире, и именно, именно потому, — он от возбуждения чуть ли не стучит кулаком по столу, — что гуманитарные науки связаны с чтением и интерпретацией. Гуманитарные науки начинаются, по словам нашего сегодняшнего лектора, с науки чтения текстов и развиваются как несколько дисциплин, посвященных интерпретации.

— На самом деле это называется науки о человеке, — говорит декан.

Молодой человек морщит лоб.

— Это отвлекающий маневр, мистер декан. Если вы не возражаете, я тогда буду оперировать такими терминами, как studia, или дисциплины, а не науки.

Такой молодой, думает она, и такой самоуверенный. Он, видите ли, будет оперировать такими терминами, как studia.

— А как насчет Винкельмана[1]? — говорит ее сестра.

Винкельман? Молодой человек смотрит на нее непонимающим взглядом.

— Узнал бы себя Винкельман на той картине гуманиста, которую вы рисуете? А вы рисуете картину ремесленника — интерпретатора текстов.

— Я не знаю. Винкельман был великим ученым. Может быть, и узнал бы.

— Или Шеллинг, — гнет свое Бланш — Или любой из тех, кто более или менее открыто верил, что Греция предлагала лучший идеал цивилизации, чем иудеохристианство. Или, если уж об этом зашла речь, чем любой из тех, кто уверовал, что человечество заблудилось и должно вернуться к своим первобытным корням и начать все заново. Иными словами, антропологов. Лоренцо Валла — если уж вы упомянули Лоренцо Валла — был антропологом. За исходную точку он брал человеческое общество. Вы говорите, что первые гуманисты не были тайными атеистами. Да, не были. Они были тайными релятивистами. Иисус в их глазах принадлежал своему собственному миру, или, как бы мы сказали сегодня, своей собственной культуре. Их задача как ученых состояла в том, чтобы понять мир и интерпретировать его в соответствии с представлениями их эпохи. Как со временем их задачей станет интерпретация мира Гомера. И так до Винкельмана.

---

[1] *Иоганн Иоахим Винкельман* (1717–1768) — немецкий искусствовед, основоположник современных представлений об античном искусстве и археологии.

Бланш резко замолкает, смотрит на декана. Не подал ли он ей какого-то сигнала? Не постукивал ли он, как это ни невероятно, ее — сестру Бриджет — по коленке под столом?

— Да, — говорит декан, — очаровательно. Нам следовало пригласить вас на целый курс лекций, сестра. Но, к сожалению, у некоторых из нас есть свои обязанности. Может быть, когда-нибудь в будущем...

Он подвешивает эту вероятность в воздухе; сестра Бриджет любезно наклоняет голову.

IV

Они снова в отеле. Она устала, она должна принять что-нибудь, чтобы прогнать продолжающуюся тошноту, должна лечь. Но этот вопрос продолжает грызть ее: откуда у Бланш такая враждебность к гуманитарным наукам? «Мне нет необходимости сверяться с романами», — сказала Бланш. Неужели эта враждебность каким-то образом направлена на нее? Хотя она добросовестно отправляла Бланш свои книги, как только они выходили из печати, она не видит никаких признаков того, что Бланш читала хоть одну из них. Не пригласили ли ее в Африку как представителя ученых-гуманитариев, или писателей-романистов, или тех и других, чтобы преподать ей последний урок, перед тем как их обеих опустят в могилу? Неужели Бланш именно так представляет себе ее? Правда — и она должна донести это до Бланш — состоит в том, что она никогда не была ревнителем гуманитарных наук. В этом предприятии было что-то слишком самодовольно мужественное, слишком самолюбивое. Она должна вразумить Бланш.

— Винкельман, — говорит она Бланш. — Что ты имела в виду, вспомнив Винкельмана?

— Я хотела напомнить им, к чему приводит изучение классики. К эллинизму как к альтернативной религии. Альтернативной христианству.

— Я так и подумала. Как альтернатива для нескольких эстетов, нескольких весьма образованных продуктов европейской образовательной системы. Но, безусловно, не как альтернатива, имеющая широкую популярность.

— Ты не понимаешь мою мысль, Элизабет. Эллинизм был альтернативой. Эллада была единственной альтернативой христианской концепции, которую смог предложить гуманизм. Они могли указывать перстом на греческое общество — на абсолютно идеализированную картинку греческого общества, но откуда обычные люди могли знать, что это обман? — и говорить: *Взирайте, вот как мы должны жить — не в загробном мире, а здесь и сейчас*.

Эллада — полуобнаженные мужчины, чьи тела отливают оливковым маслом, сидят они на ступенях храма, рассуждают о добре и истине, а на заднем плане борются гибкотелые мальчики, пасутся мирные стада коз. Свободный разум в свободном теле. Картина более чем идеализированная: мечта, иллюзия. Но как нам еще жить, если не мечтами?

— Я с тобой согласна. Но кто теперь верит в эллинизм? Да хотя бы помнит само это слово?

— И тем не менее ты не понимаешь мою мысль. Эллинизм был единственной концепцией хорошей жизни, которую смог выдвинуть гуманизм. Когда эллинизм потерпел неудачу — а это было неизбежно, поскольку он не имел ничего общего с жизнью реальных людей, — гуманизм обанкротился. Этот человек за ланчем отстаивал ту точку зрения, что область занятий гуманитариев — набор приемов, науки о человеке. Сплошная схоластика. Какой молодой человек, какая молодая женщина, у которых в жилах бурлит кровь, захотят всю жизнь протирать штаны в архивах или без конца заниматься explications de texte[1]? ПО-МОЕМУ, СМЫСЛ ТАКОЙ: он говорил о чем-то вроде «гуманитарности» как о наборе техник, гуманитарных наук.

– Но эллинизм, без всяких сомнений, был одним из этапов в истории гуманитарных наук. С тех пор появились более крупные, более содержательные концепции того, какой может быть человеческая жизнь. Например, бесклассовое общество. Или мир, из которого изгнаны бедность, болезни, неграмотность, расизм, сексизм, гомофобия, ксенофобия и все прочее из длинного дурного списка. Я не ходатайствую ни за одну из этих концепций. Я просто указываю, что люди не могут жить без надежды или, возможно, без иллюзий. Если бы ты обратилась к кому-нибудь из присутствовавших на ланче и попросила их как гуманитариев или как минимум дипломированных специалистов по гуманитарным наукам сформулировать цель их работы, то они наверняка ответили бы, пусть и завуалированно, что они хотят улучшить судьбу человечества.

---

[1] Толкованием текста (*фр.*).

— Да. И таким образом они показывают себя истинными последователями их предков-гуманитариев. Которые предложили мирскую концепцию спасения. Воскресение без вмешательства Христа. По примеру греков. Или по примеру американских индейцев. Или по примеру зулусов. Что ж, это невозможно.

— Ты говоришь, это невозможно. Потому что — хотя никто из них и не догадывался об этом — греки были прокляты, индейцы были прокляты, зулусы были прокляты.

— Я ничего не говорила о проклятии. Я говорю только об истории, о хронике усилий, предпринимавшихся гуманистами. Это невозможно. Extra ecclesiam nulla salvatio[1].

Элизабет отрицательно качает головой.

— Бланш, Бланш, Бланш, — говорит она. — Кто бы мог подумать, что ты станешь таким консерватором.

Бланш улыбается ей неприветливой улыбкой. В ее очках посверкивает отражение светильников.

V

Суббота — ее последний полный день в Африке. Она проводит его в Марианхилле — в миссии, которая стала самым важным делом в жизни ее сестры, ее домом. Завтра она отправится в Дурбан. Из Дурбана полетит в Бомбей, а оттуда в Мельбурн. И на этом все закончится. *«Мы больше не*

---

[1] Без церкви нет спасения (*лат.*). Католицизм объясняет это изречение так: все спасение от Христа, который есть голова церкви, которая есть его тело.

увидим друг дружку, Бланш и я, — думает она, — *в этой жизни не увидим»*.

Она приехала на церемонию выпуска, но на самом деле Бланш хотела, чтобы она увидела то, что стояло за приглашением: больницу. Это зрелище не для нее. Она слишком часто видела эту картину по телевизору и больше уже не может смотреть: руки с проступающими костями, раздувшиеся животы, большие бесстрастные глаза умирающих детей, неизлечимых, неухоженных. «*Пронеси чашу сию мимо меня!* — молча молится она. — *Я слишком стара, чтобы видеть это, слишком стара и слаба. Я просто распла́чусь»*.

Но в данном случае она не может отказать — не может отказать, когда просит ее собственная сестра. И на самом деле все оказывается не так плохо, не настолько плохо, чтобы сломать ее. Средний медицинский персонал безупречен, оборудование новое — плоды деятельности сестры Бриджет на поле фандрайзинга, — атмосфера мягкая и даже радостная. В палатах, наряду с персоналом, женщины в местных одеждах. Она думает, что это матери и бабушки, но Бланш объясняет: это целительницы, народные целительницы. И тогда она вспоминает: именно этим и знаменит Марианхилл, это выдающаяся новация Бланш — открыть больницу для народа, чтобы местные целители работали бок о бок с врачами, использующими западные методы.

Что касается детей, то Бланш, видимо, убрала самые безнадежные случаи с глаз долой, но Элизабет удивлена тем, как веселы могут быть даже умирающие дети. Все — как писала Бланш в своей книге: с любовью, заботой и необходимыми лекарствами эти невинные дети могут без страха подойти к вратам смерти.

Бланш приводит ее и в часовню. Войдя в скромное здание из кирпича и металла, Элизабет сразу же удивляется, видя за алтарем резное деревянное распятие, изображающее изможденного Христа с похожим на маску лицом, увенчанного терновым венком из настоящей акации, его ноги и руки пробиты не гвоздями, а стальными болтами. Сама фигура почти в человеческий рост, крест поднимается почти до голых стропил; все это сооружение является доминирующим в часовне, подавляет все остальное,

Бланш сообщает ей, что фигура Христа была вырезана местным мастером. Много лет назад миссия приютила его, предоставила ему мастерскую, стала платить ежемесячное жалованье. Не хочет ли она с ним встретиться?

И потому теперь этот старик с желтыми зубами, в комбинезоне, с корявым английским, представленный ей просто как Джозеф, отпирает для нее дверь сарая в дальнем углу миссии. У дверей густая трава, отмечает она, — сюда давно никто не заходил.

Внутри ей приходится отметать рукой паутину. Джозеф нащупывает выключатель, щелкает им туда-сюда. Безрезультатно.

— Лампочка нет, — говорит он, но ничего не делает.

Свет проникает внутрь только через открытую дверь и щели между крышей и стенами. Глаза через некоторое время привыкают.

В центре сарая стоит длинный самодельный стол. На нем и около него груды резных деревянных фигур. У стены на паллетах лежат бревна, на некоторых еще сохраняется кора, и пыльные деревянные коробки.

— Мой мастерская, — говорит Джозеф. — Когда молодой, работал тут весь день. Теперь совсем старый стал.

Она берет распятие, не самое большое, но достаточно крупное: восемнадцатидюймовый Христос на кресте, тяжелое красноватое дерево.

— Как называется это дерево?

— Кари. Кари дерево.

— Вы это сами вырезали?

Она держит распятие в вытянутой руке. Как и в часовне, лицо человека в агонии представляет собой формализованную, упрощенную маску в одной плоскости, глаза-щели, рот открыт в оцепенении. А тело вполне натуралистичное; она предполагает, что скопировано с какого-то европейского образца. Колени у человека на кресте приподняты, словно он пытается смягчить боль в руках, перенеся часть своего веса на гвоздь, пронзивший его ноги.

— Я вырезал всех Иисус. Крест иногда делать помощник. Мои помощник.

— А где теперь ваши помощники? Здесь больше никто не работает?

— Нет, все мой помощник ушли. Слишком много крест. Слишком много крест продать.

Она рассматривает содержимое одной из коробок. Миниатюрные распятия высотой три-четыре дюйма, вроде того, которое носит ее сестра. Десятки распятий с тем же лицом-маской, та же поза с поднятыми коленями.

— Вы не вырезаете что-нибудь еще? Животных? Лица? Обычных людей?

Джозеф корчит гримасу.

— Животный они для турист, — с презрением говорит он.

— Вы не делаете сувениров для туристов. Туристское искусство не для вас.

— Нет, никакой туристское искусство.

— Зачем вы тогда это делаете?

— Для Иисус, — говорит он. — Да, для Наш Спаситель.

VI

— Я видела коллекцию Джозефа, — говорит она. — В этом есть некоторая одержимость, тебе не кажется? Один и тот же образ снова и снова.

Бланш не отвечает. Они сидят за ланчем; в обычных обстоятельствах Элизабет назвала бы такой ланч скудным: дольки томатов, несколько подвядших листьев салата, вареное яйцо. Но у нее нет аппетита. Она кладет в рот кусочки листьев салата; запах яйца вызывает у нее тошноту.

— Как действует экономика этого промысла? — продолжает она. — Я говорю об экономике религиозного искусства в наши дни и нашу эпоху.

— Джозеф прежде был оплачиваемым работником Марианхилла. Ему платили за эти распятия и за всякую поденщину. Последние восемнадцать месяцев он на пенсии. У него артрит — ты, наверно, заметила его руки.

— Но кто покупает его работы?

— У нас есть два магазина в Дурбане. Их покупают и другие миссии для перепродажи. Может, это и не искусство, по западным стандартам, но они искренние. Несколько лет назад Джозеф получил заказ из церкви в Иксопо. Заработал тысячи две рэндов. Мы до сих пор получаем заказы на малые распятия. Школы, католические школы, покупают их для награждений.

— Для награждений. Получил хорошую оценку по закону Божию — получай распятие, изготовленное Джозефом.

— В общем, да. А что в этом плохого?

— Ничего. И все же у него перепроизводство, да? Там в сарае сотни распятий, все одинаковые. Почему ты не просила его делать что-то еще, кроме распятий, крестных мук? Как это отражается на человеческой — если мне позволено использовать это слово — *душе*, если он всю свою трудовую жизнь проводит за вырезанием снова и снова человека в агонии? Ну, когда у него не выпадает сторонняя работа.

Бланш отвечает ей ледяной улыбкой.

— *Человека*, Элизабет? — говорит она. — *Человека* в агонии?

— Человека, бога, богочеловека — не цепляйся к словам, Бланш, мы не на уроке теологии. Что происходит с талантливым человеком, если он проводит жизнь, не имея возможности дать свободу своему дару, как твой Джозеф? Может быть, его талант и ограничен, возможно, он и не художник в полном смысле этого слова. И все же — не разумнее ли было поощрить его к некоторому расширению горизонтов?

Бланш кладет нож и вилку.

— Хорошо, давай рассмотрим твою критику, давай рассмотрим ее в ее крайней форме. Джозеф не художник, но, возможно, мог стать художником, если бы мы — если бы я — поощрила его много лет назад расширить кругозор, поездить по художественным галереям или хотя бы познакомиться с другими резчиками, узнать, что еще можно вырезать. Вместо этого Джозеф остался — Джозефа оставили — на уровне ремесленника. Он жил здесь, при миссии, в полной безвестности, раз за разом повторяя один и тот же образ, хотя и в разных размерах и из разного дерева, пока артрит не положил конец его работе. Таким образом, если выражаться твоим языком, Джозефу не дали расширить его горизонт. Ему было отказано в том, чтобы жить более полной жизнью, а конкретнее, жизнью художника. В этом суть твоих обвинений?

— В большей или меньшей степени. Не обязательно жизнью художника, я не настолько глупа, чтобы предполагать это, только более полной жизнью.

— Хорошо. Если суть твоего обвинения в этом, я дам тебе ответ. Джозеф тридцать лет своей земной жизни провел, являя глазам — конечно, других людей, но в первую очередь своим собственным — Нашего Спасителя в его агонии. Час за часом, день за днем, год за годом он представлял себе эту агонию и с точностью, которую ты сама можешь видеть, воспроизводил ее, вкладывая в это все свое мастерство, не изменяя образ, не вводя в него модные штрихи, не наделяя его какими-то своими чертами. И вот я спрашиваю, кого из нас Иисус с большей радостью примет в свое царство: Джозефа с его искалеченными руками, или тебя, или меня?

Элизабет не любит, когда ее сестра начинает читать нравоучения. Это случилось в Йоханнесбурге, это происходит опять. Все самое несносное в характере Бланш проявляется в такие моменты: нетерпимость, косность, агрессивность.

— Я думаю, радость Иисуса была бы еще сильнее, — говорит Элизабет, вкладывая в эти слова всю свою иронию, — если бы он знал, что у Джозефа был какой-то выбор. Что Джозефа не загнали насильно в смирение.

— Иди. Иди и спроси Джозефа. Спроси, загонял ли его кто-нибудь во что-нибудь. — Бланш делает паузу. — Ты что думаешь, Элизабет, Джозеф — марионетка в моих руках? Ты думаешь, Джозеф не понимает, как он провел свою жизнь? Иди, поговори с ним. Выслушай, что он скажет тебе.

— И схожу. Но у меня есть другой вопрос, на который Джозеф не сможет ответить, потому что это вопрос к тебе. Почему образец, выбранный тобой, а если не тобой, то институтом, который ты представляешь, почему этот конкретный образец, поставленный вами перед Джозефом, чтобы он делал с него копии, почему вы выбрали образец, который я не могу назвать иначе, чем жестоким? Почему Христос, умирающий в мучениях, а не Христос живой? Мужчина в расцвете сил тридцати с небольшим лет: почему вы возражаете против показа его живым, во всей его живой красе? И если уж об этом зашла речь, что ты имеешь против греков? Греки никогда бы не стали делать статуи и картины человека, пребывающего в смертельной агонии, искалеченного, уродливого, а потом поклоняться им. Если бы ты задумалась о том, почему гуманисты (а ты хотела бы, чтобы мы насмехались над ними) устремили свой взор во времена дохристианские, почему они не заострили внимания на презрении, которое христианство демонстрирует к человеческому телу, а потому и к человеку как таковому, то ты наверняка нашла бы ответ. Ты должна знать — забыть это ты не могла, — что изображения Иисуса в его агонии — отличительная черта Западной церкви. Это совершенно несвойственно Константинополю. Восточная церковь сочла бы их оскорбительными, и это было бы справедливо.

Откровенно говоря, Бланш, во всей традиции распятия есть что-то, на мой взгляд, низкое, замшелое, средневековое в худшем смысле этого слова — немытые монахи, неграмотные священники, запуганные крестьяне. Чего вы добиваетесь, воспроизводя в Африке самый отвратительный, самый застойный период в европейской истории?

— Гольбейн, — говорит Бланш. — Грюневальд[1]. Если тебе нужны человеческие формы in extremis[2], обратись к ним. Мертвый Иисус, Иисус в гробу.

— Не понимаю, к чему ты клонишь?

— Гольбейн и Грюневальд не были художниками католического Средневековья. Они принадлежали Реформации.

— Бланш, я не веду борьбу с исторической католической церковью. Я спрашиваю, что ты, ты лич-

---

[1] *Гольбейн* — имеется в виду Ганс Гольбейн (Младший) (1497–1543) — живописец, один из величайших немецких художников. Здесь речь идет о его картине «Мертвый Христос в гробу», знаменитом крайне реалистичном изображении Христа. *Грюневальд* — Маттиас Грюневальд (1470 или 1475–1528) — последний великий немецкий художник северной готики. Видимо, здесь имеется в виду его знаменитая картина «Поругание Христа».

[2] На грани смерти (*лат.*).

но, имеешь против красоты. Почему люди не имеют права посмотреть на произведение искусства и подумать: «*Вот как можем выглядеть мы, род человеческий, вот как могу выглядеть я*», а не смотреть и думать: «*Бог мой, неужели я умру и меня сожрут черви*?»

— Я полагаю, ты хочешь сказать, что отсюда и увлечение греками. Аполлон Бельведерский. Венера Милосская.

— Да, отсюда и греки. Отсюда и мой вопрос: бога ради, что же ты делаешь, импортируя в Африку, импортируя в Зулуленд эту совершенно им чуждую жестокую одержимость уродством и смертностью человеческого тела? Если уж вам так хочется импортировать Европу в Африку, то разве не лучше импортировать греков?

— И ты думаешь, Элизабет, что греки абсолютно чужды Зулуленду? Я тебе говорю, если ты не хочешь послушать меня, то послушай хотя бы Джозефа. Ты считаешь, что Джозеф вырезает страдающего Иисуса, потому что плохо образован, что если бы ты провела Джозефа по Лувру, его глаза открылись бы и он принялся бы вырезать во благо своего народа прихорашивающихся обнаженных женщин или напрягающих мышцы мужчин? Знаешь ли ты, что, когда европейцы впервые встретились с зулусами, образованные европейцы, англичане, закончившие частные школы, они решили, что заново открыли греков? Они об этом сказали совершенно недвусмысленно. Они вытащили свои блокноты и сделали наброски, на которых зулусские воины с их пиками, дубинками, щитами показаны в тех же позах, с абсолютно теми же физическими пропорциями, какие мы видим на иллюстрациях девятнадцатого века к «Илиаде», изображающих Гектора и Ахилла, только с темной кожей. Пропорциональные конечности, одежда, едва прикрывающая наготу, гордая осанка, церемонные манеры, воинские добродетели — все это присутствовало! Они нашли Спарту в Африке — так они решили. В течение десятилетий те выпускники частных школ с их романтическими представлениями о греческой античности управляли Зулулендом от имени короны. Они *хотели*, чтобы Зулуленд был Спартой. Они хотели, чтобы зулусы были греками. Так что для Джозефа, его отца и его деда греки — вовсе не какое-то чуждое племя. Их новые правители предложили им греков как модель, которой они должны подражать и могут стать. Им предложили греков, и они отвергли их. Но они выбрали другое предложение Средиземноморья. Они выбрали христиан, последователей Христа. Поговори с ним. Он тебе скажет.

— Я плохо знакома с этим проулком истории, Бланш, — британцы и зулусы. Тут я с тобой не могу спорить.

— Это случилось не только в Зулуленде. Это случилось и в Австралии. Это случилось во всем колонизованном мире, только не в такой мирной форме. Эти молодые ребята из Оксфорда, и Кембриджа, и Сен-Сира предложили своим диким подданным ложный идеал. «*Выбросьте ваших идолов*, — сказали они. — *Вы можете уподобиться богам. Посмотрите на греков*», — сказали они. И в самом деле, кто в Греции может отличить богов от людей, в той самой романтической Греции, столь обожаемой этими молодыми людьми, наследниками гуманистов? «Приходите в наши школы, — сказали они, — и мы научим вас. Мы сделаем вас учениками логики и наук, которые проистекают из логики, мы сделаем вас хозяевами природы. С нашей помощью вы победите болезни и все немочи плоти. Вы будете жить вечно».

— Но зулусы оказались умнее. — Бланш показывает рукой на окно, на больничные здания, залитые солнцем, на грунтовые дороги, петляющие по голым холмам. — Такова реальность — реальность Зулуленда, реальность Африки. Такова реальность на сегодня и реальность на завтра, насколько мы видим. Вот почему африканцы приходят в церковь и преклоняются перед Христом на кресте, а более всего африканские женщины, которым приходится нести на себе всю тяжесть реальности. Потому что они страдают, а Он страдает вместе с ними.

— А не потому, что он предлагает им другую, лучшую жизнь после смерти?

Бланш отрицательно качает головой.

— Нет. Людям, которые приходят в Марианхилл, я не обещаю ничего, кроме того, что мы будем помогать им нести их крест.

VII

Воскресенье, восемь тридцать утра, но солнце уже свирепствует. В полдень приедет водитель, чтобы отвезти ее в Дурбан, откуда она начнет путь домой.

Две молоденькие девушки в ярких платьях босиком бегут к колоколу и принимаются дергать веревку. Колокол на столбе начинает отрывисто звонить.

— Ты пойдешь? — говорит Бланш.

— Да, пойду. Голову нужно покрывать?

— Приходи как есть. Здесь нет никаких формальностей. Только имей в виду: к нам приедут телевизионщики.

— Телевизионщики?

— Из Швеции. Они снимают фильм о СПИДе в Квазулу.

— А священник? Его предупредили, что службу будут снимать? И кстати, а кто священник?

— Служить мессу будет отец Мсимунгу из Дейлхилла. Он не возражает.

Отец Мсимунгу, когда он приезжает на все еще довольно приличном «гольфе», оказывается долговязым молодым человеком в очках. Он идет в больницу переодеться, потом присоединяется к Бланш и полудюжине других сестер ордена, стоящих во главе прихожан. Софиты уже установлены и направлены на них. В их жестоком свете Элизабет не может не видеть, как они все стары. Сестры девы Марии: вымирающее племя, исчерпавшее себя призвание.

В часовне под металлической крышей уже стоит удушающая жара. Она понять не может, как Бланш в ее тяжелом одеянии выносит это.

Мсимунгу служит мессу на языке зулу, хотя время от времени она слышит и английские слова. Начинается месса довольно спокойно, но ко времени первой коллекты[1] в часовне стоит гул голосов прихожан. Мсимунгу, приступая к гомилии[2], вынужден повысить голос, чтобы его слышали. У него баритон, удивительный для такого молодо-

---

[1] *Коллекта* (лат. oratio collecta, букв. «соборная молитва») — в католическом и лютеранском богослужении краткая молитва, читаемая обычно в начале мессы и передающая в сжатой форме смысл текущего дня или праздника.

[2] *Гомилия* (от греческого «общество, общение, беседа») — аналитико-экзегетическая форма проповеди (обычно христианской, но также иудейской), содержащая истолкование прочитанных мест Священного Писания.

го человека. Его голос, кажется, без всяких усилий возникает где-то в глубинах его грудной клетки.

Мсимунгу разворачивается, преклоняет колени перед алтарем. Наступает тишина. Над ним видна голова распятого Христа в венце. Потом он поворачивается и поднимает хостию[1]. Собрание верующих издает радостный крик. Начинается ритмическое топанье, от которого сотрясается деревянный пол.

Она чувствует, что ее покачивает. В воздухе густой запах пота. Она хватает Бланш за руку.

— Я должна выйти! — шепчет она.

Бланш кидает на нее оценивающий взгляд и шепчет, прежде чем отвернуться:

— Еще немного потерпи.

Элизабет делает глубокий вдох, чтобы прояснилось в голове, но это не помогает. От пальцев ног словно поднимается зябкая волна. Достигает ее лица, кожу на голове покалывает от холода, и она проваливается в никуда.

Она приходит в себя и понимает, что лежит в пустой комнате, которую не узнает. Здесь Бланш, смотрит на нее сверху, здесь молодая женщина в белом халате.

— Простите, бога ради, — бормочет Элизабет, пытаясь подняться. — Я потеряла сознание?

Молодая женщина успокаивающе прикасается рукой к ее плечу.

— Все в порядке, — говорит женщина. — Но вам надо отдохнуть.

---

[1] *Хостия* (происходит от лат. hostia — «жертва») — евхаристический хлеб в католицизме, а также в англиканстве и ряде других протестантских церквей. Используется во время литургии для таинства евхаристии.

Элизабет переводит взгляд на Бланш.

— Прости, бога ради, — повторяет она. — Слишком много континентов.

Бланш недоуменно разглядывает ее.

— Слишком много континентов, — повторяет она. — Слишком много тягот. — Ее голос словно приходит откуда-то издалека. — Я не ела толком, — говорит она. — Наверное, в этом причина.

В этом ли? Могут ли два дня расстройства желудка вызвать обморок? Бланш должна знать. У Бланш, вероятно, есть немалый опыт постов и обмороков. Что же касается ее, то она подозревает, что ее недомогание вызвано нерасположенностью к этому миру, а не какими-то причинами физического характера. Будь она расположена к нему, она, возможно, впитывала бы эти впечатления от нового континента, извлекала бы из них какую-нибудь пользу. Но она не расположена к нему. Именно об этом на свой манер говорит ей ее тело. Все это так необычно, так избыточно, что ее тело сетует: я хочу вернуться в свою домашнюю обстановку, к жизни, с которой я свыклось.

Абстиненция — вот что ее мучает. Обморок — симптом абстиненции. Это напоминает ей кого-то. Кого? Ту бледную английскую девушку в «Путешествии в Индию»[1], которая не может принять новый мир, окружающий ее, она впадает в панику, она конфузит всех. Она не может выносить жару.

---

[1] Роман английского писателя Эдварда Моргана Форстера (1879–1970)«Путешествие в Индию» написан в 1924, действие происходит на фоне набирающего силы движения за независимость Индии. Героиня романа Адела Квестед приезжает в Индию, и во время путешествия по местной достопримечательности — пещере — с ней случается что-то вроде приступа.

VIII

Водитель ждет. Вещи собраны, она готова, хотя все еще чувствует легкое недомогание и ее слегка пошатывает.

— До свидания, — говорит она. — До свидания, сестра Бланш. Я понимаю, что ты имела в виду. Ничего похожего на церковь Святого Патрика в воскресное утро. Надеюсь, мой кувырок не попал в кадр.

Бланш улыбается.

— Если попал, я попрошу вырезать его.

Обе замолкают. Элизабет думает: «Вот сейчас она, может быть, скажет мне, почему пригласила меня сюда».

— Элизабет, — говорит Бланш (в ее тоне появилось что-то новое, что-то более мягкое, или это игра ее воображения?), — не забывай, это их традиция, их Христос. Христос, каким они Его сделали, они, простые люди. Каким они его сделали и каким Он позволил им сделать его. Из любви. И не только в Африке. Такие же сцены можно увидеть в Бразилии, на Филиппинах, даже в России. Простым людям не нужны греки. Им не нужно царство идеальных форм. Им не нужны мраморные статуи. Им нужен кто-то, кто страдает, как они. Как они и ради них.

Иисус. Греки. Элизабет ждала не этого, не этого хотела, не в последнюю минуту, когда они прощаются, вероятно, в последний раз. Есть в Бланш что-то непреклонное. До самой смерти. Элизабет следовало бы выучить этот урок. Сестры никогда не прощаются друг с другом. В отличие от мужчин, которые прощаются слишком легко. Бланш до конца будет держать ее в своих объятиях.

— Итак: «Ты победил, о бледный галилеянин»[1], — говорит она, не пытаясь скрыть горечь в голосе. — Ты это хочешь услышать от меня, Бланш?

— В известной мере. Ты поставила на неудачника, моя дорогая. Сделай ты ставку на другого грека, возможно, у тебя и был бы шанс. Орфей вместо Аполлона. Восторженность вместо рассудительности. Тот, кто изменяет форму, изменяет цвет, подстраиваясь под окружение. Тот, кто может умереть, а потом вернуться. Хамелеон. Феникс. Тот, кто привлекателен для женщин. Потому что именно женщины живут ближе всего к земле[2]. Тот, кто ходит среди людей, кого они могут потрогать — к чьей ране они могут прикоснуться, ощутить запах крови. Но ты не сделала этого и проиграла. Ты поставила не на тех греков, Элизабет.

IX

Прошел месяц. Она дома, вернулась к привычной жизни, африканское приключение осталось позади. Она еще не пришла к какому-то окончательному мнению о своей встрече с Бланш, хотя

---

[1] Строки из стихотворения «Гимн Прозерпине» английского поэта Алджернона Чарлза Суинберна (1837–1909), поэма обращена к римской богине Прозерпине, богине подземного царства, которая досадует в связи с вытеснением христианством языческих богов. За словами «Ты победил, о бледный галилеянин» в стихотворении следует: «Посерел мир, с приходом твоим».

[2] Совет жить ближе к земле восходит к Лао Цзы.

ее грызет воспоминание об их вовсе не сестринском прощании.

«Я хочу рассказать тебе, — пишет она, — одну историю о нашей матери».

Пишет она для себя, пишет тому, кто с ней в комнате, когда, кроме нее, никого нет; но она знает, что слова не придут, если она не будет думать о том, что пишет, как о письме к Бланш.

В свой первый год в Оукгроув мама подружилась с одним человеком по фамилии Филлипс, который тоже жил там. Я тебе говорила о нем, но ты, наверное, не помнишь. У него была машина, и они выезжали вместе в театр, на концерты; они были парой в цивилизованном смысле этого слова. «Мистер Филлипс» — так называла его мать с первого и до последнего дня, и я взяла себе за правило не предполагать слишком много. Потом у мистера Филлипса сдало здоровье, и на этом их роман завершился.

Когда я впервые его увидела, мистер Ф. еще оставался весьма бодрым стариком с трубкой, в блейзере и галстуке, с усами а-ля Дэвид Нивен[1]. Он был адвокатом и довольно успешным. Заботился о своей внешности, увлекался всякой всячиной, читал книги. В нем все еще была жизнь, как говорила мать.

Одним из его хобби было рисование акварельными красками. Я видела некоторые его работы. Человеческие фигуры получались у него деревянными, но у него было чувство ландшафта, буша, это у него получалось хорошо. Чувство света и того, что делает с ним расстояние.

---

[1] *Дэвид Нивен* (1910–1983) — английский актер и романист, носил тонкие усики во всю длину губы.

Он нарисовал портрет нашей матери в ее голубом кисейном платье, ветер играл ее шелковым шарфиком. Не вполне удачная работа, но я ее сохранила, до сих пор лежит где-то.

Я ему тоже позировала. Это было после того, как он перенес операцию и не выходил из дома. А может, предпочитал не выходить. Позировать ему — эта мысль пришла в голову матери. «Посмотри, может, тебе удастся его расшевелить, — сказала она. — У меня не получается. А то он все дни сидит один, думает».

Мистер Филлипс замыкался в себе, потому что перенес операцию — ему удалили гортань. У него осталась дырка, через которую, как предполагалось, он может говорить с помощью специальной трубки. Но он стыдился уродливой кровоточащей дыры в шее, а потому не появлялся на людях. Говорить он все равно не мог, говорить разборчиво; правильному дыханию он так и не стал обучаться. В лучшем случае ему удавалось издавать хрипы. Видимо, это было очень унизительно для такого дамского угодника.

Мы с ним пообщались посредством записок, и в результате несколько суббот я позировала ему днем. Его рука к тому времени чуть подрагивала, рисовать больше часа он не мог, рак поразил не только гортань.

У него была одна из лучших квартир в Оукгроув, на цокольном этаже с застекленной дверью, выходившей в сад. Я позировала, сидя у этой двери на резном стуле с жесткой прямой спинкой, в накидке, которую купила в Джакарте и раскрасила по трафарету в коричневато-желтый и темно-бордовый цвета. Не знаю, шли ли мне эти цвета, но мне казалось, что ему как художнику они должны понравиться — они давали почву для эксперимента.

Однажды в субботу — терпение, я уже подхожу к существенному, — в хороший, теплый день, когда на деревьях ворковали голуби, он отложил кисть, покачал головой и сказал что-то хрипло-неразборчивое. «Я не расслышала, Эйдан», — сказала я. «Не получается», — повторил он. А потом написал что-то в своем блокноте и передал его мне. «Очень бы хотел написать вас обнаженной». И еще ниже: «Жаль, что этого никогда не случится».

Ему, наверное, нелегко это далось. «Жаль, что этого никогда не случится» исключало всякую неопределенность. Но что он имел в виду? Судя по всему: «Жаль, что не могу написать вас такой, какой вы были в молодости?», — но я так не думаю. «Жаль, что не написал вас, когда еще был мужчиной» — скорее уж так. Когда он показал мне написанное, губа у него дрожала. Я знаю, что не стоит слишком доверять старческим дрожащим губам и слезящимся глазам, и все же...

Я улыбнулась и попыталась успокоить его, приняла прежнюю позу, и он вернулся к мольберту, и все стало как прежде, только вот я видела, что он больше не рисует, просто стоит, а кисточка сохнет в его руке. И вот я подумала — наконец я добралась до сути, — я подумала, какого черта, я скинула накидку с плеч, сняла бюстгальтер, повесила его на спинку стула и сказала: «А если так, Эйдан?»

Я пишу членом — кажется, Ренуар это сказал, Ренуар, писавший пухленьких дамочек с кремовой кожей? Avec ma verge, существительное женского рода[1]. Что ж, сказала я себе, посмотрим, удастся ли нам вывести verge мистера Филлипса из его глубокой спячки. И я снова села в профиль к нему, и голуби ворковали на деревьях так, словно ничего и не происходило.

Не могу сказать, сработало ли это, разожгло ли в нем искорку мое полуобнаженное тело. Но я чувствовала на себе, на моих грудях его полновесный взгляд, и, если откровенно, мне было хорошо. Мне тогда было сорок, я родила двоих детей, и он видел груди уже не юной женщины, но все равно это было хорошо в комнате умирающего, я так думала тогда и до сих пор так считаю. Это было благодатью.

Потом, спустя некоторое время, когда тени в саду удлинились и похолодало, я оделась, вернув себе благопристойный вид. «До свидания, Эйдан, храни вас бог», — сказала я, а он написал в своем блокноте: «Спасибо», показал мне, и на этом все. Я не думаю, что он ждал моего прихода в следующую субботу, и я не пришла. Закончил ли он картину без меня — не знаю. Может, он ее уничтожил. И уж наверняка он не показал ее нашей матери.

Почему я рассказываю тебе эту историю, Бланш? Потому что для меня она связана с разговором, который состоялся у нас в Марианхилле — мы говорили про зулусов и греков и про истинную природу гуманитарных наук. Я еще не хочу сдаваться в нашем с тобой споре; не хочу покидать площадку.

---

[1] Имеется в виду французское существительное verge, называющее в данном случае мужской член.

Эпизод, о котором я тебе рассказываю, время, проведенное мною в гостиной мистера Филлипса, все это, столь незначительное само по себе, долгие годы озадачивало меня, и только теперь, вернувшись из Африки, мне кажется, я могу объяснить все это.

Конечно, в моем поведении был элемент торжества, элемент хвастовства, чем я вовсе не горжусь: женщина в самом соку дразнит увядающего мужчину, выставляет напоказ свое тело, но его держит на расстоянии. Членовредительство — ты помнишь членовредительство нашей юности?

Но в этом было нечто большее. Это было так непохоже на меня. Я не могла понять, как такая мысль пришла мне в голову. У кого я переняла эту позу, при которой мой взгляд устремлен вдаль, мое платье словно облако обволакивает талию, а мое божественное тело выставлено напоказ? Теперь я понимаю, Бланш: *у греков*. У греков и у тех поколений художников Возрождения, которых сотворили греки. Когда я сидела там, я не была самой собой или была не только самой собой. Одна из богинь являла себя через меня — Афродита или Гера. А может, Артемида. Я была из породы бессмертных.

И это еще не конец. Я несколько секунд назад использовала слово «благодать». Почему? Потому что иначе не назовешь то, что происходило с моими грудями, в этом я не сомневалась, с моими грудями и грудным молоком. Древнегреческие богини много чего могли, но они не могли источать, а я, образно говоря, источала нечто: я источала в комнату мистера Филлипса, я это чувствовала, и я не сомневаюсь, он тоже это чувствовал, чувствовал много после того, как я ушла.

Греческие богини ничего не источают. Источает Мария из Назарета. Не стыдливая дева Благовещения, а мать, которую мы видим у Корреджо, та, что легонько приподнимает сосок кончиками пальцев, чтобы ее младенец мог припасть к нему; кто, не рискуя своей добродетелью, смело обнажается перед глазами художника, а значит — и перед нашими глазами.

Бланш, представь себе эту сцену в мастерской Корреджо в те дни. Он показывает кистью: «Подними еще чуток. Нет-нет, не ладонью, только двумя пальцами. — Он подходит к ней, показывает. — Вот так». И женщина подчиняется, она делает со своим телом то, что ей приказывают. Другие мужчины все время смотрят из тени: ученики, коллеги-художники, посетители.

Кто знает, кем она была, эта модель тех дней: уличной женщиной? женой заказчика? Атмосфера в мастерской наэлектризована, но чем? Эротической энергией? В членах всех присутствующих мужчин, в их verges, начинается зуд? Определенно. Но в воздухе есть и еще что-то. Благоговение. Кисть замирает, они благоговеют перед тайной, которая открывается им: из тела женщины проистекает поток жизни.

Есть ли у зулусов, Бланш, что-нибудь, что могло бы сравниться с этим мгновением? Сомневаюсь. Только не такая убийственная смесь экстаза и эстетики. Такое за всю историю человечества могло случиться только в Италии эпохи Возрождения, когда в извечные христианские образы и ритуалы вторгается мечта гуманистов о древней Греции.

Во всех наших разговорах о гуманизме и гуманитарных науках присутствовало слово, которое мы обе обходили: человек. Когда Мария, благословенная среди женщин, улыбается своей отсутствующей ангельской улыбкой и выставляет нам свой нежный розовый сосок, когда я, подражая ей, обнажаю свою грудь перед престарелым мистером Филлипсом, мы совершаем гуманные поступки. На подобные поступки не способны животные, которые не могут обнажаться, потому что они и так обнажены. Ничто нас не вынуждает — Марию или меня — поступать так. Но мы делаем это, потому что наши человеческие сердца переполнены и истекают: мы снимаем с себя одежды, обнажаемся, демонстрируем жизнь и красоту, которыми благословлены.

Красота. Уж конечно, живя в Зулуленде, где такое изобилие обнаженных тел, ты, Бланш, не можешь не согласиться с тем, что нет ничего по-человечески прекраснее женских грудей. Ничего по-человечески прекраснее, ничего по-человечески таинственнее, чем жажда мужчины снова и снова кистью, резцом скульптора, рукой ласкать эти причудливой формы жировые мешки, и ничего по-человечески более пленительного, чем наша сопричастность (я говорю о сопричастности женщин) к мужской одержимости.

Гуманитарные науки учат нас человечности. После христианской ночи, длившейся столетиями, гуманитарные науки возвращают нам нашу красоту, нашу человеческую красоту. Вот об этом ты забыла сказать. Вот чему учат нас греки, Бланш, правильные греки. Подумай об этом.

Твоя сестра,
Элизабет.

Вот что пишет она. А не пишет она и не имеет ни малейшего намерения писать о том, как продолжается эта история, история старого мистера Филлипса и их субботних посиделок в его доме.

Потому что история не закончилась так, как сказано в ее письме: она облачается в благопристойный вид, мистер Филлипс пишет ей благодарственную записку, и она покидает комнату. Нет, история продолжается месяц спустя, когда ее мать говорит, что мистера Филлипса увозили в больницу для продолжения сеансов облучения, а теперь он вернулся в плохом состоянии, настроение хуже некуда, сил не осталось. Почему бы ей не заглянуть к нему, не поднять старику настроение?

Она стучит в его дверь, выжидает несколько секунд, входит.

Симптомы очевидны. Теперь уже не бодрый старик, а просто старик, старый мешок с костями, ждущий, когда его вывезут. Он лежит на спине, раскинув руки, его пальцы обессилены, пальцы, которые за месяц так посинели, так искривились, что она не представляет, как они недавно держали кисточку. Он не спит, просто лежит и ждет. И явно прислушивается к звукам внутри себя, к звукам боли. («*Не забудем об этом, Бланш*, — думает она, — *не забудем о боли. Страха смерти недостаточно, сильнее его боль, крещендо. Какой способ завершения нашего визита в этот мир может быть более изощренно, более дьявольски жестоким?*»)

Она стоит у одра старика, берет его руку. Хотя нет ничего приятного в том, чтобы вложить эту холодную синюю руку в свою, она это делает. Ничего приятного нет во всем этом. Она держит руку, сжимает ее и произносит: «Эйдан!», произносит самым своим любящим голосом и видит, как на его глаза наворачиваются слезы, старческие слезы, которые значат не так уж много, потому что проливаются слишком легко. Ей больше нечего сказать, и, уж конечно, нечего сказать ему сквозь эту дыру в шее, теперь благопристойно прикрытую марлевым тампоном. Она стоит и гладит его руку, пока не появляется сестра Нейду с чайным столиком на колесиках и таблетками, помогает ему сесть и поит его (из чашки с носиком, как двухлетнего ребенка; унижениям нет конца).

В следующую субботу Элизабет приходит к нему еще раз; это становится правилом. Она держит руку старика и пытается утешить его, а сама холодным взглядом фиксирует этапы умирания. Эти посещения сопровождаются минимумом слов. Но в одну из суббот (он в этот день кряхтит и двигается больше обычного) он подталкивает к ней блокнот, и она читает послание, которое он написал еще до ее прихода: «У вас прекрасная грудь. Я никогда не забуду. Спасибо вам за все, добрая Элизабет».

Она возвращает ему блокнот. Что еще сказать? *Простись со всем, что ты любил.*

С грубой, непререкаемой силой она вырывает страницу из блокнота, мнет ее и кидает в корзину, подносит палец к губам, словно говоря: *Наша тайна*.

Какого черта, думает она во второй раз. Она подходит к двери и поворачивает защелку. В маленькой нише, где висит его одежда, она снимает с себя платье, бюстгальтер. Потом подходит к кровати, садится боком к нему так, чтобы ему было хорошо видно, принимает позу, в которой сидела, когда он рисовал ее. *Угощение*, думает она. *Дадим старику угощение, сделаем его субботу чуть ярче*.

Она думает и о другом, сидя на кровати мистера Филлипса в этот прохладный день (лето уже прошло, за окном осень, поздняя осень), такой прохладный, что спустя какое-то время ее даже начинает пробирать легкая дрожь. *Взрослые по обоюдному согласию* — вот о чем она думает. *Чем занимаются взрослые по обоюдному согласию за закрытыми дверями, не касается никого, кроме них самих*.

Вот еще одно неплохое место, на котором можно закончить историю. Какова бы ни была природа этого так называемого угощения, нет нужды его повторять. В следующую субботу, если он все еще будет жив, она придет и будет снова держать его за руку, но это позирование должно быть последним, последнее предложение груди, последняя благодать. Так что история могла бы закончиться на этом, на этой позе, которую она, по ее оценке, выдерживает добрых двадцать минут, несмотря на дрожь. В виде истории, рассказа письмо вполне могло на этом и закончиться, оно оставалось бы вполне благопристойным, и она могла бы положить его в конверт и отправить Бланш, не губя то, что она хотела сказать о греках.

Но история продолжается еще немного, еще пять или десять минут, о которых она не может рассказать Бланш. История продолжается достаточно долго для нее, для женщины, она успевает как бы невзначай опустить руку на одеяло и начать легонько гладить то место, где должен находиться пенис, если он (пенис) еще жив и не спит; а потом, поскольку ее действия не вызывают никакой реакции, она отбрасывает одеяло и ослабляет шнурок на пижаме мистера Филлипса, на фланелевой пижаме, каких она не видела много лет — она и представить не могла, что такие еще продаются в магазинах, — она распахивает клапан и целует совершенно вялую маленькую штучку, берет ее в рот и тискает губами, пока она не начинает оживать. Она впервые видит седые лобковые волосы. Глупо было с ее стороны не понимать, что волосы седеют и там. И с ней со временем произойдет то же самое. Неприятен и запах, запах половых органов старика, помытых кое-как.

До идеала далеко, думает она, выпрямляясь и накрывая старого мистера Филлипса, она улыбается ему, похлопывает его по руке. В идеале нужно бы прислать к нему молодую красотку, чтобы сделала это для него, fille de joie[1] с пухлыми молодыми грудями, о которых мечтают старики. Что касается оплаты этого визита, то тут она не будет испытывать никаких угрызений совести. Она могла бы назвать это подарком на день рождения, если девица попросит объяснения, если название *предсмертный подарок* слишком мрачное. С другой стороны, когда ты достигаешь определенного

---

[1] Проститутка (*фр.*).

возраста, все далеко от идеала. Мистер Филиппс вполне мог уже к этому привыкнуть. Вечно молоды только боги, безжалостные боги. Боги и греки.

А что касается ее, Элизабет, которая со своими отвислыми грудями наклоняется над старым мешком костей и пытается оживить его почти уже отошедший в мир иной репродуктивный орган, то как бы греки назвали такое зрелище? Не *эротикой* — уж слишком карикатурно для эротики. *Агапэ*[1]? И опять, вероятно, нет. Неужели у греков не нашлось бы для этого слова? Неужели пришлось бы дожидаться христиан с правильным словом *каритас*[2]?

В конечном счете она убеждает себя, что это и есть самое подходящее понятие. Об этом ей говорит ее сердце, об этом говорит абсолютное, безграничное несовпадение между тем, что есть в ее сердце, и тем, что увидела бы сестра Нейду, если бы сестра Нейду, по какому-то невезению, с помощью своего ключа открыла бы дверь и вошла в комнату в этот момент.

Но более всего ее ум занимает не мысль о том, что сказала бы сестра Нейду, что сказали бы греки, что сказала бы ее мать, живущая этажом выше. Более всего ее ум занимает мысль о том, что скажет об этом она сама в машине по пути домой, или когда проснется завтра утром, или через год. Что можно сказать о таких эпизодах — непредвиденных, спонтанных, не отвечающих характеру данного человека? Не есть ли они проломы, проломы

---

[1] *Агапэ* — древние греки так называли мягкую, жертвенную любовь к ближнему.

[2] *Каритас* (лат. caritas) — милосердие, жертвенная любовь.

в сердце, в которые человек входит и падает, а потом летит все дальше?

«Бланш, дорогая Бланш, — думает она, — почему между нами этот барьер? Почему мы не можем говорить друг с другом открыто и откровенно, как должны говорить люди, жизнь которых подходит к концу? Мама ушла; старик мистер Филлипс сожжен, и прах его развеян по ветру; из того мира, в котором мы выросли, остались только ты и я. Сестра моей юности, не умирай в чужих полях[1] и не оставляй меня без ответа!»

---

[1] Литературная аллюзия: выражение «умереть в чужих полях» принадлежит перу английского поэта Руперта Брука (1887–1915), трагически погибшего на пути в английский Экспедиционный корпус, сражавшийся на континенте.

Урок 6
ПРОБЛЕМА ЗЛА

Ее пригласили выступить на конференции в Амстердаме, на конференции, посвященной старой, как мир, проблеме зла: почему зло существует в мире, можно ли с этим что-то сделать, а если можно, то что.

У нее есть проницательное предположение, почему организаторы пригласили ее: из-за лекции, которую она прочла в прошлом году в одном из колледжей в Америке, лекции, за которую она подверглась критике на страницах «Комментари» (обвиняли ее в преуменьшении трагедии холокоста), а защищали ее люди, чья поддержка в большей части смущала ее: тайные антисемиты, романтики движения в защиту прав животных.

В той лекции она говорила о том, что видела и продолжает видеть, как происходит порабощение всего животного населения земли. Раб — существо, чья жизнь и смерть в руках кого-то другого. А как еще назвать скот, овец, птицу? Лагеря смерти не были бы изобретены, если бы до них не существовали в качестве образца мясоперерабатывающие заводы.

Об этом, но не только, говорила она: ей это казалось очевидным, на чем и останавливаться-то не стоило. Но она сделала и еще один шаг в этом направлении, зашла слишком далеко. Убийство беззащитных осуществляется вокруг нас день за днем, сказала она, эта бойня по масштабам ужаса или нравственному воздействию не отличается от того, что мы называем холокостом, но мы предпочитаем ее не замечать.

Сравнение нравственного воздействия — вот к чему они прицепились. Протестовали студенты Гилеля[1]. Они потребовали, чтобы колледж Эплтон как институция дистанцировался от ее деклараций. Они даже требовали, чтобы колледж пошел еще дальше и извинился за то, что предоставил ей трибуну.

У нее на родине газеты с радостью подхватили эту историю. «Эйдж» опубликовала сообщение, озаглавив его ЗНАМЕНИТАЯ РОМАНИСТКА ОБВИНЯЕТСЯ В АНТИСЕМИТИЗМЕ. Публикация сопровождалась перепечаткой оскорбительных пассажей из ее выступления, исковерканных неправильной пунктуацией. Телефон у нее звонил постоянно. По большей части это были журналисты, но звонили и незнакомые люди, включая и анонимную женщину, которая прокричала в трубку: «Фашистская сука!» После этого она перестала отвечать на звонки. Вдруг получилось так, что на скамье подсудимых оказалась она.

Она могла предвидеть такое развитие событий и избежать его. Так что же она снова делает на лекционной кафедре? Будь у нее хоть немного здравого смысла, она держалась бы подальше от света рампы. Она стара, она постоянно чув-

---

[1] *Гилель* — всемирное студенческое движение, крупнейшая молодежная еврейская организация в мире, способствующая возрождению еврейских традиций.

ствует усталость, у нее пропало — если даже когда и было — всякое желание вести дискуссии, да и в любом случае, какова надежда на то, что проблема зла (если «проблема» подходящее слово для зла, достаточно крупное, чтобы вместить его) будет решена разговорами?

Но в то время, когда пришло приглашение, она была под злокачественным очарованием романа, который читала. Роман был посвящен безнравственности худшего толка, и она погрузилась в бесконечно угнетенное настроение. Читая, она хотела закричать неведомо кому: *Почему вы так поступаете со мной*? В этот самый день она и получила приглашение. Не пожелает ли Элизабет Костелло, уважаемый писатель, удостоить своим присутствием собрание теологов и философов и выступить с речью, если будет на то ее добрая воля, под обобщенной рубрикой «Молчание, соучастие и вина»?

В тот день она читала книгу Пола Уэста, англичанина, но при этом, кажется, сумевшего избавиться от наиболее мелочных требований английского романа. Его книга рассказывала о Гитлере и несостоявшихся убийцах Гитлера из вермахта, и все шло неплохо, пока она не дошла до страниц, на которых описывалась казнь заговорщиков[1]. Откуда мог получить Уэст эту информацию? Неужели тому были свидетели, которые пришли домой в тот вечер и, пока не забыли, пока память во имя собственного спасения не обнулилась, написали словами, которые, видимо, прожигали бумагу, от-

---

[1] *Пол Уэст* (1930–2015) — американский романист и поэт, родившийся в Англии. Здесь идет речь о его романе «Очень насыщенные часы графа фон Штауффенберга».

чет о том, чему они были свидетелями, вплоть до слов, которые сказал палач-вешатель душам, переданным в его руки, бормочущим что-то невнятное старикам, — заговорщики по большей части были стариками, — лишенным их мундиров, облаченным перед последним событием в жизни в тюремное старье — заляпанные грязью саржевые брюки, свитера, поеденные молью, босым, без ремней, без зубных протезов и очков, изможденным, дрожащим, с руками в карманах, чтобы поддержать спадающие брюки, скулящим от страха, глотающим слезы, вынужденным слушать это грубое существо, этого мясника с оставшейся с прошлой недели коркой засохшей крови под ногтями, глумливо объясняющего им, рассказывающего, что произойдет, когда веревка затянется на их шее, как говно потечет по их костлявым старческим ногам, как их дряблые старческие члены вздрогнут в последний раз? Один за другим поднимались они на эшафот в каком-то непонятном пространстве, которое могло быть как гаражом, так и скотобойней, здесь горели дуговые лампы, а потом в своем логове Адольф Гитлер, главнокомандующий, сможет увидеть на экране их рыдания, потом их пляски, потом их бездвижность, расслабленную бездвижность мертвого мяса, и удовлетвориться зрелищем отмщения.

Об этом написал романист Пол Уэст, страница за страницей, не упустив ничего, и это то, о чем она прочла, ненавидя себя, ненавидя мир, в котором может происходить такое; в конечном счете она засунула книгу подальше и села, упершись головой в ладони. *Непотребство!* хотелось закричать ей, но она не закричала, потому что не знала, к кому обратить это слово: к себе, западной цивилизации, комитету ангелов, которые бесстрастно наблюдают за всем, что происходит? Непотребство, потому что такие вещи не должны происходить, и еще раз непотребство, потому что, произойдя, они подлежат не освещению и обсуждению, а вечному забвению, утаиванию в чреве земли, как и то, что происходит на скотобойнях мира; иначе здравомыслия не сохранить.

Приглашение пришло в тот момент, когда непотребство книги Уэста все еще давило на нее. И, если коротко, поэтому она и оказалась в Амстердаме все еще со словом «непотребный» на губах. Непотребство: не только деяния гитлеровских палачей, не только поведение вешателя, но и страницы черной книги Пола Уэста. Сцены, которые не должны происходить при свете дня, сцены, которые не должны увидеть глаза дев и детей.

Как будет реагировать Амстердам на Элизабет Костелло в ее сегодняшнем состоянии? Неужели здоровое кальвинистское слово «зло» все еще имеет какую-то власть над разумными, прагматичными, хорошо устроенными гражданами Новой Европы? Более полувека прошло с тех пор, как дьявол в последний раз чванливо и нагло расхаживал по их улицам, но они же наверняка не могли забыть об этом. Адольф и его войска все еще не отпускают массовое воображение. Странно, если иметь в виду, что Медведь Коба, его старший брат и наставник, который, как ни посмотри, был убийцей пострашнее, более мерзким, более неприемлемым для души, почти что ушел из памяти. Измерение мерзости мерзостью, в ходе которого сам акт измерения оставляет мерзкий вкус во рту. Двадцать миллионов, шесть миллионов, три миллиона, сто тысяч — в какой-то момент разум не выдерживает — отказывается воспринимать цифры; чем старше ты становишься — во всяком случае, именно это и случилось с ней, — тем скорее наступает эта невозможность восприятия. Воробей, сбитый с ветки камнем из рогатки, город, уничтоженный с воздуха, — кто отважится сказать, что хуже? Зло, вся сумма зла, вселенная зла, созданная богом зла. Отважится ли она сказать это ее добрым голландским хозяевам, ее добрым, умным, здравомыслящим слушателям в этой просвещенной, рационально организованной, хорошо управляемой стране? Лучше оставаться спокойной, не кричать слишком громко. Она может представить себе следующий заголовок в «Эйдж»: ЗЛО ВСЕОБЩЕ, ГОВОРИТ КОСТЕЛЛО.

Она из своего отеля отправляется на прогулку по каналам, старая женщина в плаще, голова все еще чуть кружится, ноги ступают чуть нетвердо после долгого перелета из той страны, где ходят вверх ногами. Она чувствует себя сбитой с толку: не потому ли, что она просто потеряла ориентацию, приходят ей в голову эти черные мысли? Если так, то ей нужно реже путешествовать. Или чаще.

* * *

Тема, о которой ей предстоит говорить, тема, согласованная между нею и организаторами, называется «Свидетель, молчание и цензура». Сам текст, или бóльшую его часть, написать было нетрудно. После многих лет во главе австралийского

ПЕН-центра, она может рассуждать о цензуре хоть во сне. Если бы она хотела облегчить себе жизнь, она бы прочла им рутинную лекцию о цензуре, провела несколько часов в Рейксмюсеум[1], потом села на поезд до Ниццы, где, кстати, находится ее дочь в качестве гостя одного из фондов.

Рутинная статья о цензуре либеральна по своим идеям, она содержит некоторую долю Kulturpessimismus, который влиял на ее мысли в последнее время: цивилизация Запада основана на вере в неограниченные и не подлежащие ограничению устремления, нам слишком поздно пытаться что-то делать с этим, мы должны просто держаться и плыть, куда нас несет поток. И именно вопрос невозможности ограничений занимает ее мысли и претерпевает изменения. Этим изменениям способствовало, как она подозревает, чтение книги Уэста, хотя, возможно, изменение случилось бы так или иначе по причинам, которые для нее более темны. Если конкретно, то она уже не уверена, что чтение служит улучшению человечества. И вообще она не уверена, что писатели, которые исследуют более темные территории души, всегда возвращаются оттуда в целости и сохранности. Она стала задумываться: а хорошо ли само по себе то, что человек пишет о том, что хочет, больше, чем читает о том, что хочет?

По крайней мере именно об этом она собирается говорить здесь, в Амстердаме. В качестве главного примера она собирается привести роман «Очень насыщенные часы графа фон Штауффенберга», который она получила с пачкой

---

[1] *Рейксмюсеум* — художественный музей в Амстердаме.

книг, — некоторые из них были новые, некоторые — переизданиями, присланными ей для размышления другом-редактором из Сиднея. Книга «Очень насыщенные часы» была единственной, по-настоящему захватившей ее; свой ответ она изложила в рецензии, которую она отозвала в последнюю минуту и которая так никогда и не была опубликована.

В отеле ее ждал конверт: приветственное письмо от организаторов, программа конференции, карты. И теперь, сидя на скамье на берегу Принсенграхта[1] под робкими лучами северного солнца, она просматривала программку. Ей предстояло выступить на следующее утро, в первый день конференции. Она переходит к примечаниям в конце программки. «Элизабет Костелло, известная австралийская писательница, автор романа “Дом на Экклс-стрит” и многих других». Она бы заявила о себе иначе, но они у нее не спросили. Как всегда, замороженная в прошлом; замороженная в достижениях своей молодости.

Она просматривает список. О большинстве приглашенных на конференцию она ничего не знает. Наконец ее глаза ловят последнюю фамилию в списке, и ее сердце на миг останавливается. «Пол Уэст, романист и критик». Пол Уэст — тот незнакомец, состоянию чьей души она посвятила столько страниц. Может ли кто-нибудь, спрашивает она в своей лекции, углубиться в джунгли нацистского кошмара и выйти оттуда целым и невредимым? Думали ли мы когда-нибудь, что исследователь, которого завлекло в этот лес, мо-

[1] *Принсенграхт* — один из четырех основных каналов Амстердама.

жет выйти оттуда после пережитого опыта не лучше и сильнее, а хуже? Как она может говорить об этом, как может задавать этот вопрос, если Пол Уэст собственной персоной присутствует в зале? Это покажется нападками, высокомерными, неспровоцированными и, самое главное, личными нападками на коллегу-писателя. Кто поверит тому, что она никогда не пересекалась с Полом Уэстом, никогда его не видела, прочла одну-единственную его книгу? Что ей делать?

Из двадцати страниц текста лекции добрая половина посвящена книге про Штауффенберга. Хорошо, если книгу не перевели на голландский; очень хорошо, если никто из приглашенных ее не читал. Она могла бы не упоминать имени Уэста, ссылаться лишь на «автора книги о нацистском периоде». Она даже могла бы сказать, что ссылается на несуществующую книгу — гипотетический роман о нацизме, создание которого могло бы оставить шрамы в душе ее гипотетического автора. Тогда никто ничего не узнает, кроме, конечно, самого Уэста, если он приедет, если возьмет на себя труд явиться на лекцию австралийской дамы.

Четыре часа дня. Обычно во время долгих перелетов она спит урывками. Но в этот раз она поставила эксперимент с новыми таблетками, и, кажется, они сработали. Чувствует она себя хорошо, она готова погрузиться в работу. У нее достаточно времени, чтобы переписать лекцию, удалить Пола Уэста и его роман далеко на задний план, оставив на поверхности только тезис; тезис о том, что само писательство как форма нравственного авантюризма имеет потенциал стать опасным. Но что это будет за лекция — тезис без примера?

Не может ли она заменить кем-нибудь Пола Уэста — например, Селином[1]? В одном из своих романов Селин заигрывает с садизмом, фашизмом и антисемитизмом. Она читала этот роман сто лет назад. Можно ли здесь заполучить экземпляр, желательно не на голландском, чтобы она могла включить в свою лекцию Селина?

Но Пол Уэст не Селин, он ничуть не похож на Селина. Заигрывать с нацизмом — это именно то, чего Уэст не делает; более того, евреи в его книге почти не упоминаются. Ужасы, о которых он здесь рассказывает, — они sui generis[2]. Возможно, он заключил пари с самим собой: взять предметом своего повествования несколько бормочущих невнятицу профессиональных немецких военных, которые по самому своему воспитанию непригодны для заговоров и осуществления убийства, рассказать историю их несостоятельности и ее последствий от начала и до конца и оставить читателей с ощущением, к их удивлению, искреннего сострадания, искреннего ужаса.

Во времена стародавние она сказала бы: слава писателю, который берет на себя труд описать такую историю до самых темных ее закоулков. Сегодня она не уверена. Вот это, похоже, и есть та перемена, что с ней произошла. В любом случае Селин не таков, Селин не сработает.

---

[1] *Луи-Фердинанд Селин* (1894–1961) — французский писатель, врач по образованию. Его первые романы имели ошеломительный успех, однако его произведения конца 1930-х годов «прославили» Селина как антисемита и человеконенавистника.

[2] Здесь: беспрецедентны (*лат.*).

На палубе баржи, стоявшей на якоре по другую от нее сторону канала, за столом сидят две пары, болтают, попивают пиво. Проезжают мимо мотоциклисты. Обычное предвечерье обычного дня в Нидерландах. Преодолев расстояние в несколько тысяч миль, чтобы окунуться именно в такую разновидность ординарности, должна ли она теперь отказаться от всего этого ради сидения в номере отеля и сражения с текстом для конференции, о которой забудут через неделю? И с какой целью? Чтобы не смутить человека, с которым она даже незнакома? Что такое минутная неловкость, если смотреть на мир широко? Она не знает, сколько лет Полу Уэсту — на суперобложке об этом не сказано, фотография, возможно, снята много лет назад, — но она уверена, что он не молод. Может быть, он и она, каждый по-своему, уже достигли такого возраста, в котором люди не чувствуют смущения?

В отеле ее ждет сообщение — просьба позвонить Хенку Бадингсу из Свободного университета, с которым она переписывалась. Хорошо ли прошел перелет, спрашивает Бадингс. Удобно ли она устроилась? Не желает ли она присоединиться к нему и еще одному-двум другим гостям за обедом? Спасибо, отвечает она, но нет, она предпочтет пораньше лечь спать. Пауза, после которой она задает свой вопрос. Романист Пол Уэст — он прибыл в Амстердам? Да, отвечает Бадингс: Пол Уэст не только прибыл, но и — что будет для нее приятной новостью — разместился в том же отеле, что и она.

Если ей и требуется что-нибудь такое, что бы подстегнуло ее, то вот оно. Неприемлемо, чтобы

Пол Уэст обнаружил, что он разместился в одном отеле с женщиной, которая публично выставляет его поборником сатаны. Она должна исключить его из лекции или вообще не участвовать в конференции — или-или.

Она всю ночь сражается с лекцией. Поначалу она пытается исключить имя Уэста. «Недавно написанный роман, — так называет она его книгу, — про Германию». Но из этого ничего не получается. Даже если большинство ее слушателей не поймет, о ком идет речь, сам Уэст будет знать, что она говорит о нем.

А если она попытается смягчить свои рассуждения? А если она выдвинет предположение, что, изображая деяния зла, писатель может, сам того не желая, придать ему черты привлекательности и, таким образом, принести больше вреда, чем пользы? Смягчит ли это удар? Она вычеркивает первый абзац на восьмой странице, первой из плохих, потом что-то на второй, на третьей, начинает вписывать изменения на полях, потом недоуменно смотрит на получившуюся мазню. Почему же она не сделала копии, прежде чем начать?

Молодой человек на месте портье сидит в наушниках, подергивая плечами. Увидев ее, вскакивает и встает по стойке «смирно».

— Ксерокс, — говорит она. — Где-нибудь у вас есть ксерокс — я бы хотела им воспользоваться.

Он берет у нее пачку листов, смотрит на заголовок. Отель принимает гостей, приезжающих на самые разные конференции, он должен быть привычен к рассеянным иностранцам, переписывающим свои лекции посреди ночи. Жизнь звезд-карликов. Урожайность в Бангладеш. Душа и ее многочисленные виды разложения. Для него все одно.

С копией на руках она продолжает смягчать тон своей работы, но сомнения все больше и больше одолевают ее душу. Писатель поборник Сатаны — какая чепуха! Она неотвратимо ставит себя в положение старомодного цензора. И вообще, в чем смысл всех этих виляний? В том, чтобы избежать маленького скандала? Откуда взялась эта ее боязнь оскорбить? Она скоро умрет. И какое тогда будет иметь значение то, что она когда-то погладила против шерсти какого-то иностранца в Амстердаме?

Она вспоминает, что, когда ей было девятнадцать, она позволила незнакомому человеку подцепить ее на мосту на Спенсер-стрит около набережной в Мельбурне, которая в те времена была опасным районом. Человек этот был докером, лет тридцати с чем-то, привлекательным на грубоватый манер, назвал он себя Тим или Том. Она была тогда студенткой, изучала гуманитарные науки, бунтовщицей — принципиально бунтовала против той матрицы, которая сформировала ее: респектабельность, мелкобуржуазность, католицизм. По ее тогдашним представлениям, подлинными были только рабочий класс и ценности рабочего класса.

Тим или Том повел ее в бар, а после этого — к себе; он снимал жилье в доме, где сдавались меблированные комнаты. Она никогда прежде этого не делала — не спала с первым встречным; в последнюю минуту она поняла, что не сможет пойти до конца. «Извини, — сказала она. — Мне очень жаль. Мы можем остановиться?» Но Тим или Том не желал ее слушать. Когда она стала сопротивляться, он попытался взять ее силой. Она долго, тяжело дыша в тишине, отбивалась от него, отталкивала, царапалась. Сначала он воспринимал это как игру. Потом устал от этого, или его желание устало, превратилось во что-то другое, и он начал бить ее всерьез. Он сбросил ее с кровати, ударил в грудь, ударил в живот, нанес ей жуткий удар локтем в лицо. Когда ему надоело ее бить, он сорвал с нее одежду и попытался сжечь в мусорной корзине. Абсолютно голая, она тихонько вышла из комнаты и спряталась в туалете на площадке. Час спустя, будучи уверенной, что он уснул, она прокралась назад и взяла то, что осталось. В одном разодранном, пожженном платье — больше ничего на ней не было — она остановила такси. Целую неделю она жила то у одной, то у другой подруги, отказываясь объяснять, что случилось. У нее была сломана челюсть — ее пришлось вправлять, и она ходила некоторое время со скобой; питалась она молоком и апельсиновым соком через соломинку.

Таким было ее первое соприкосновение со злом. Она поняла, что это было именно зло и ничто другое; когда оскорбленное достоинство мужчины ушло на второй план и сменилось блеском удовольствия в его глазах, которое он получал от избиения. Она видела: ему нравится делать ей больно. Возможно, он и не знал этого, когда подцепил ее, но он привел ее к себе скорее чтобы избить, а не заниматься с ней любовью. Давая ему отпор, она открыла в нем запруду на пути зла, и зло проявилось этим блеском в глазах, сначала вызванным ее болью («Тебе это нравится, да? —

шептал он, терзая ее соски. — Тебе нравится?»), а потом ребяческим, жестоким уничтожением ее одежды.

Почему ее мысли возвращаются к этому давнему и — на самом деле — малозначительному эпизоду? Ответ: она никогда никому о нем не рассказывала, никогда его не использовала. Ни в одном из ее рассказов нет сцены физического нападения на женщину мужчины в отместку за то, что та ему отказала. Если только сам Том или Тим не дожил до дряхлых старческих лет, если только комитет ангелов-наблюдателей не сохранил протокол слушаний по тому делу, — то, что случилось в съемной комнате, принадлежит ей и только ей. Полвека воспоминание покоилось в ней, как яйцо, каменное яйцо, которое никогда не трескается, из которого никогда ничто не вылупляется. Она считает, что это хорошо, она довольна своим молчанием, молчанием, которое она собирается хранить до могилы.

Не требует ли она и от Уэста подобного умолчания: чтобы в его истории о заговоре с целью убийства не рассказывалось о том, что случилось с заговорщиками, когда они попали в руки своих палачей? Конечно, нет. Так что же именно хочет она сказать этому собранию незнакомых ей людей — она смотрит на часы — меньше чем через восемь часов?

Она пытается прогнать туман из головы, вернуться к началам. Что такое в ней взбунтовалось против Уэста и его книги, когда она прочла ее? В первом приближении, думает она, — то, что он вернул к жизни Гитлера и его головорезов, дал им новую точку опоры в мире. Хорошо. Но что в этом недопустимого? Уэст — романист, как и она, они оба зарабатывают на жизнь, рассказывая и пересказывая истории; и если эти истории хороши, то персонажи в них, даже палачи, начинают жить собственной жизнью. Так чем она лучше Уэста?

Ответ, насколько она это понимает, вот в чем: она больше не считает, что рассказывание историй хорошо само по себе, тогда как для Уэста, или по меньшей мере для Уэста, каким он был, когда писал книгу о Штауффенберге, этот вопрос, кажется, не стоял. Если бы ей, такой как она сегодня, пришлось выбирать: писать истории или делать добро, — она думает, что выбрала бы добро. Уэст, думает она, предпочел бы писать истории, хотя, вероятно, ей следует воздержаться от суждений, пока она не услышит это из его собственных уст.

Умение рассказывать истории много на что похоже. И одна из таких вещей (так она говорит в одном из еще не вычеркнутых абзацев) — это бутылка с джинном. Когда рассказчик открывает бутылку, он выпускает джинна в мир, и нужны адские усилия, чтобы загнать его обратно. Ее позиция, ее пересмотренная позиция, ее позиция на закате жизни: всем будет лучше, если джинна вообще не выпускать из бутылки.

Мудрость притчи, или мудрость веков (вот почему она предпочитает мыслить притчами, а не строить логические заключения), состоит в том, что эта мудрость умалчивает о той жизни, которой живет джинн в бутылке. Притча просто говорит, что мир будет лучше, если джинн останется в заточении.

Джин или дьявол. Если ее представление о том, что может означать вера в бога, становится все более и более туманным, то в дьяволе она не сомневается. Дьявол прячется повсюду, стоит только чуть-чуть копнуть, он так и хочет выбраться на свет. Дьявол вошел в докера в тот вечер на Спенсер-стрит, дьявол вошел в палача, служившего Гитлеру. И через докера много лет назад этот дьявол вошел в нее: она чувствует — он сидит в ней скорчившись, сложился по-птичьи, ждет возможности улететь. Через палача дьявол вошел в Пола Уэста, а Уэст, в свою очередь, написанной им книгой выпустил его на свободу, развязал ему руки. Она наверняка знает, что чувствовала касание его кожистых крыльев, когда читала эти темные страницы.

Она прекрасно понимает, насколько старомодны эти ее рассуждения. У Уэста найдется тысяча защитников. «Откуда мы можем узнать ужасы нацизма, — скажут эти защитники, — если художникам запрещается рассказывать нам о них? Пол Уэст не дьявол, он герой: он отважился пуститься в лабиринт прошлого Европы, встретил там Минотавра и вернулся, чтобы рассказать нам его историю».

Что она сможет возразить на это? Что было бы лучше, если бы наш герой остался дома? Или хотя бы держал свои подвиги при себе? Во времена, когда художники изо всех сил держатся за последние клочья оставшегося у них достоинства, какую благодарность заслужит она таким ответом у своих собратьев по перу? «Она обманула нас, — скажут они. — Элизабет Костелло превратилась в матушку Гранди[1]».

Она жалеет, что не взяла с собой «Очень насыщенные часы графа фон Штауффенберга». Если бы она могла пролистать эти страницы, пройтись по ним глазами, она уверена, все ее сомнения рассеялись бы, на тех страницах, на которых он дает палачу, мяснику — она забыла его имя, но не может забыть рук, и, несомненно, его жертвы унесли с собой в вечность память об этих руках, щупающих их шеи, — на которых он дает мяснику голос, позволяет ему грубые, хуже, чем грубые, невыразимые издевательства над дрожащими стариками, которых он сейчас убьет, сообщает им о том, как у них откажут сфинктеры, когда они будут брыкаться и плясать в петле. Это ужасно, ужасно, ужасно так, что и не передать словами: ужасно то, что такой человек существовал, а еще ужаснее, что его извлекают из могилы, когда он уже решил, что безопасно отошел в мир иной.

Непотребство, обсценность. Вот за это слово, слово спорной этимологии, она должна держаться как за талисман. Она предпочитает думать, что *обсценный* означает *сошедший со сцены*. Чтобы спасти наши человеческие чувства, определенные вещи, которые мы могли бы захотеть увидеть (могли бы захотеть увидеть, потому что мы люди), должны оставаться вне сцены. Пол Уэст написал обсцен-

---

[1] *Матушка Гранди*, или миссис Гранди, — собирательный образ для обозначения самой заурядной или самодовольной женщины, олицетворение убожества. Начав жизнь в пьесе Томаса Мортона «Пора пахать», этот образ вскоре так укоренился в быту, что превратился в фигуру речи, которая используется во многих странах Европы.

ную книгу, он показал то, что нельзя показывать. Вот что должно стать красной нитью ее лекции, когда она предстанет перед собранием, и этой нити она должна держаться.

* * *

Она засыпает за письменным столом, полностью одетая, засыпает, уронив голову на руки. В семь часов раздается звон будильника. Ее пошатывает, она измотана, она делает, что можно, чтобы поправить лицо, и на маленьком забавном лифте спускается в фойе.

— Мистер Уэст уже прибыл? — спрашивает она у молодого человека за стойкой. У того же молодого человека.

— Мистер Уэст... Да, мистер Уэст в номере 311.

Солнце проникает в окно ресторана. Она берет кофе и круассан, садится у окна, оглядывает с полудюжины других ранних пташек. Не может ли этот коренастый человек в очках, читающий газету, быть Уэстом? Он не похож на фотографию на суперобложке книги, но это ни о чем не говорит. Не подойти ли к нему, не спросить? «Мистер Уэст, здравствуйте, я — Элизабет Костелло, и я хотела бы сделать неоднозначное заявление, если вы готовы выслушать меня. Оно касается вас и ваших сделок с дьяволом». Что бы чувствовала она, если бы какой-то незнакомец сказал ей подобные слова за завтраком?

Она встает, идет между столиками длинным путем к буфету. Человек читает газету на голландском — «Волкскрант». На воротнике его пиджака перхоть. Он поднимает взгляд над стеклами очков.

Простое, обычное лицо. Он может быть кем угодно — торговцем тканями, преподавателем санскрита. Точно так же он может быть сатаной в одном из его обличий. Она, чуть помедлив, проходит мимо.

Голландская газета, перхоть... Пол Уэст вполне может владеть голландским. У Пола Уэста вполне может быть перхоть на воротнике. Но если она хочет выдать себя за специалиста по злу, то разве не должна она чуять зло за милю? Как пахнет зло? Серой? Смолой? «Циклоном Б»? Или зло потеряло цвет и запах, как и многое другое в нашем мире морали?

* * *

В восемь тридцать ей звонит Бадлингс. Вместе они проходят несколько кварталов до театра, где должна проводиться конференция. В аудитории он показывает на человека, сидящего в одиночестве в заднем ряду.

— Пол Уэст, — говорит Бадингс. — Хотите представлю вас?

Хотя это не тот человек, которого она видела за завтраком, они схожи по комплекции и даже внешности.

— Пожалуй, попозже, — бормочет она.

Бадингс извиняется и уходит по делам. До начала сессии остается еще минут двадцать. Она пересекает аудиторию.

— Мистер Уэст? — говорит она самым приветливым своим голосом. Много лет прошло с тех пор, как она в последний раз пользовалась тем, что можно назвать женскими уловками, но если уловки сделают свое дело, то она к ним прибегнет. — Можете уделить мне минутку?

Уэст, настоящий Уэст, отрывает глаза от своего чтива, к ее удивлению, это что-то вроде комикса.

— Меня зовут Элизабет Костелло, — говорит она и садится рядом с ним. — Для меня это нелегко, так что позвольте перейти сразу к делу. Моя сегодняшняя лекция содержит ссылки на одну из ваших книг, о фон Штауффенберге. Но по существу она посвящена вашей книге и вам как автору. Когда я готовила лекцию, я не предполагала, что вы будете в Амстердаме. Организаторы не поставили меня в известность. Правда, с какой стати они должны были это делать? Они понятия не имели, о чем я собираюсь говорить.

Она делает паузу. Уэст смотрит вдаль, никак не помогая ей.

— Я думаю, я могла бы, — продолжает она, и теперь она и в самом деле не предполагает, что будет дальше, — попросить у вас извинения заранее, попросить вас не принимать мои слова в свой адрес. Но, с другой стороны, вы могли бы на совершенно оправданных основаниях спросить, почему я так настаиваю на своих замечаниях, если они требуют предварительного извинения, почему бы мне просто не вычеркнуть эти места из моей лекции. Я и в самом деле хотела их вычеркнуть. Пыталась это сделать прошедшей ночью, узнав, что и вы среди приглашенных, пыталась сделать мои замечания менее критическими, менее обидными. Я даже думала вообще воздержаться от выступления, сказаться больной. Но это было бы несправедливо по отношению к организаторам. Вы так не считаете?

На этом вступление закончено, у него есть возможность ответить. Он откашливается, но потом ничего не отвечает, продолжает смотреть перед собой, демонстрируя ей свой довольно красивый профиль.

— Что я хочу сказать, — говорит она, посмотрев на часы (остается десять минут, театр начинает заполняться, ей пора идти, времени на любезности не остается), — с чем я согласна, так это с тем, что мы должны помнить об ужасах, которые вы описываете в своей книге. Мы как писатели. Не только ради наших читателей, но и ради нас самих. Мы можем подвергнуть себя опасности своими писаниями. Потому что если то, что мы пишем, способно сделать нас лучше, то оно же может сделать нас и хуже. Не знаю, согласны ли вы с этим.

И опять возможность дать ответ. И опять Уэст усердно отмалчивается. Что происходит в его голове? О чем он думает? Не спрашивает ли он себя, что он делает на этом собрании в Голландии, стране ветряных мельниц и тюльпанов, где его поучает какая-то сумасшедшая старая ведьма, а еще грозит перспектива выслушивать ее поучения во второй раз? Она должна напомнить ему, что *жизнь художника нелегка*.

Группа молодых людей, возможно студентов, устраивается в ряду прямо перед ней. Почему Уэст никак не реагирует? Она раздражается, ей хочется повысить голос, погрозить костлявым пальцем перед его носом.

— На меня ваша книга произвела сильное впечатление. Иными словами, она произвела на меня такое же впечатление, как если бы на мне выжгли клеймо. Некоторые страницы горят адским пламенем. Вы, наверное, понимаете, о чем я говорю. Сцена повешения в особенности. Сомневаюсь, что смогла бы написать такое сама. То есть я бы могла это написать, но не стала бы, не позволила бы себе, такая, какая я теперь. Я не думаю, что писатель может уйти без шрамов, написав такие страницы. Я думаю, что такое сочинение может повредить автору. Вот об этом я и собираюсь говорить в моей лекции. — Она показывает ему зеленую папку с текстом, хлопает по ней рукой. — И вот почему я прошу у вас прощения, даже не снисходительности, просто я поступаю, как должна, и информирую вас, предупреждаю о том, что сейчас произойдет. Потому что... — И она вдруг чувствует себя сильнее, увереннее, более готовой выразить свое раздражение, даже злость на этого человека, который даже не дает себе труда ответить ей. — ...потому что вы ведь не ребенок, вы должны были понимать риски, на которые идете, должны были осознавать, что могут быть последствия, непредсказуемые последствия, а теперь — получайте. — Она встает, прижимает папку к груди, словно защищая себя от пламени и мерцания вокруг него. — Последствия наступили. Это все. Спасибо, что выслушали меня, мистер Уэст.

Бадингс украдкой машет ей от дверей. Время пришло.

Первая часть ее лекции носит рутинный характер, касается знакомых предметов: авторство и авторитет, претензии поэтов на протяжении веков на владение высшей истиной, истиной, авторитет которой скрыт в откровении, и их последующие претензии в романтические времена (которые по случаю оказались временами географических открытий) на право посещать запретные или табуированные места.

— Я буду спрашивать сегодня вот о чем, — продолжает она, — является ли художник героем-исследователем, каким он притворяется, всегда ли мы правы, когда мы аплодируем, видя его появление из пещеры с источающим смрад мечом в одной руке и головой чудовища в другом. Для иллюстрации моего тезиса я буду ссылаться на продукт воображения, который появился несколько лет назад, на важную и во многих отношениях смелую книгу о ближайшей созданной нами в наш разочарованный век аппроксимации к мифологическому чудовищу, а именно об Адольфе Гитлере. Я веду речь о романе Пола Уэста «Очень насыщенные часы графа фон Штауффенберга», а еще конкретнее — о весьма живописной главе, в которой мистер Уэст рассказывает о казни заговорщиков, произошедшей в июле 1944 года (исключая фон Штауффенберга — его к тому времени расстрелял не в меру усердный армейский офицер, к огорчению Гитлера, который хотел мучительной смерти своего врага).

Если бы это была обычная лекция, то я бы в этом месте прочитала вам абзац-другой, чтобы вы ощутили дух этой необыкновенной книги. (Не секрет, кстати, что ее автор находится среди нас. Позвольте мне принести мистеру Уэсту мои извинения за то, что взяла на себя смелость говорить об этом ему в лицо: когда я писала этот текст, я и подумать не могла, что он будет среди приглашенных.) Мне бы следовало зачитать вам выдержки из того, что есть на этих ужасных страницах, но я не буду этого делать, поскольку не верю, что это пойдет во благо вам или мне. Я даже утверждаю (и тут я подхожу к главному), что написание этих страниц пошло во вред мистеру Уэсту, если он простит меня за такие слова.

Вот мой сегодняшний тезис: некоторые вещи не идут во благо ни тем, кто их писал, ни тем, кто их читал. Иными словами: я серьезно отношусь к утверждению, что художник сильно рискует, отваживаясь заглядывать в запретные места; он рискует сам, а вместе с ним рискуем, вероятно, и все мы. Я отношусь к этому заявлению серьезно, потому что я серьезно отношусь к запретности запретных мест. Подвал, в котором в июле 1944 были повешены заговорщики, — одно из таких запретных мест. Я думаю, что никому из нас не следует спускаться в этот подвал. Я не думаю, что мистеру Уэсту следует спускаться туда; и если он все же решает сделать это, то я думаю, мы не должны следовать за ним. Напротив, я думаю, что перед входом в этот подвал должны быть установлены решетки с бронзовой мемориальной дощечкой, на которой написано: *Здесь умерли...* а за этим список умерших и даты смерти, и на этом конец.

Мистер Уэст — писатель, или, как говорили в прежние времена, поэт. Я тоже поэт. Я не прочла всего написанного мистером Уэстом, но прочла достаточно, чтобы знать: он серьезно относится к своему призванию. И потому, когда я читаю мистера Уэста, я делаю это не только с уважением, но и с симпатией.

Я прочла эту книгу о фон Штауффенберге, включая (вы должны мне поверить) сцену казни, с такой симпатией, что я вполне могла держать то перо, которым писал мистер Уэст, и повторять следом за ним слова. Слово за словом, шаг за шагом, удар сердца за ударом сердца, провожаю я его в темноту. «Никто не был здесь раньше, — слышу я его шепот, и я тоже шепчу ему в ответ; у нас единое дыхание. — *Никто не был в этом месте после тех, кто умер, и человека, который убил их. Это наша смерть, которой мы умрем, это наши руки затянут петлю на шее.* («Возьмите тонкий шнур, — приказал своему человеку Гитлер. — Удушите их, я хочу, чтобы они чувствовали, что умирают». И его человек, его существо, его монстр подчинился.)

Какая самонадеянность — предъявлять права на страдания и смерть этих несчастных людей! Их последние часы принадлежат только им, нам непозволительно входить туда и предъявлять права на время, которое им осталось. Если нехорошо говорить такие вещи о коллеге, если это снимет напряжение, мы можем сделать вид, что данная книга написана не мистером Уэстом, а мной, безумие, овладевшее мной во время чтения, сделало меня ее автором. На какое бы притворство нам ни потребовалось пойти, давайте, бога ради, пойдем на него и двинемся дальше.

У нее еще остается несколько страниц, но она вдруг чувствует себя слишком расстроенной, чтобы продолжать, а может быть, боевой дух оставляет ее. Гомилия[1]: пусть она на этом закончится. Смерть — дело частное; художник не должен вторгаться в смерти других. Вряд ли такую пози-

[1] Разновидность проповеди.

цию можно назвать маргинальной в мире, где ежедневно раненые и умирающие лежат под глазком направленной на них камеры.

Она закрывает зеленую папку. Жидкие аплодисменты. Она смотрит на часы. До конца сессии остается еще пять минут. Она говорила на удивление долго, если учесть, что сказала очень мало. Время для одного вопроса, двух максимум, слава богу. Голова у нее кружится. Она надеется, что никто не попросит ее сказать еще что-нибудь о Поле Уэсте, который, видит она (надев очки), по-прежнему сидит в заднем ряду. (Многострадальный парень, думает она, и вдруг ее отношение к нему становится более дружеским.)

Поднимает руку какой-то чернобородый человек.

— Откуда вы знаете, — говорит он, — что мистеру Уэсту — мы, кажется, много говорим про мистера Уэста сегодня; я надеюсь, мистер Уэст будет иметь возможность ответить: было бы интересно услышать его реакцию... — (На некоторых лицах появляются улыбки.) — ...что мистеру Уэсту это пошло во вред? Если я правильно вас понял, то вы говорите, что если бы сами написали эту книгу о фон Штауффенберге и Гитлере, то были бы инфицированы нацистским злом. Но, возможно, это говорит только о том, что вы, так сказать, слабый сосуд. Может быть, мистер Уэст сделан из более прочного материала. И, возможно, мы, его читатели, тоже сделаны из более прочного материала. Может быть, мы можем читать то, что написал мистер Уэст, и извлекать из этого уроки, и становиться по прочтении сильнее, а не слабее, более исполненными решимости никогда не допустить возвращения этого зла. Не могли бы вы прокомментировать?

Ей не следовало приезжать, принимать приглашение — теперь она это знает. Не из-за того, что ей нечего сказать о зле, о проблеме зла, проблеме называния зла проблемой, даже не из-за того, что тут, как назло, появился Уэст, но потому, что они подошли к некоему пределу, пределу того, что может быть достигнуто с группой уравновешенных, хорошо информированных современных людей в чистой, хорошо освещенной аудитории в хорошо упорядоченном, хорошо управляемом европейском городе в начале двадцать первого века.

— Я верю, — медленно говорит она, и слова вылетают из нее, тяжелые, как камни, — что я не слабый сосуд. Как и мистер Уэст. Опыт, который дает писательство или чтение — для моих целей сегодня и здесь они одно и то же... — (Но в самом ли деле они одно и то же? — мысль ее путается, а была ли у нее вообще мысль?) — ...настоящее писательство, настоящее чтение не соотносительны, они не соотносительны с писателем и его способностями, не соотносительны с читателем. — (Она не спала бог знает сколько времени, то, что она спала в самолете, и сном-то нельзя было назвать). — Мистер Уэст, когда писал эти главы, соприкоснулся с чем-то абсолютным. С абсолютным злом. Это его благодать и его проклятие, я бы сказала так. Когда я читала его, это соприкосновение со злом передалось мне. Как шок. Как удар током. — Она смотрит на Бадингса, который стоит за кулисой. «Помогите мне, — говорит ее взгляд. — Положите этому конец». — Это невозможно продемонстрировать, — говорит она, возвращаясь в последний раз к задавшему вопрос. — Это можно только пережить. Но я не рекомендую вам пробовать. Этот опыт ничему вас не научит. Он не пойдет вам во благо. Вот что я хотела сказать. Спасибо.

Публика встает со своих мест и рассеивается (пора выпить чашечку кофе, хватит этой странной женщины да к тому же из Австралии — что они там знают про зло?). Она пытается не потерять из поля зрения Пола Уэста в заднем ряду. Если есть зерно истины в том, что она сказала (но она полна сомнений, и еще — отчаяния), если заряд зла и в самом деле перескочил с Гитлера на его мясника, а с него — на Пола Уэста, это наверняка проявится чем-нибудь. Но пока она ничего не замечает, по крайней мере с расстояния — невысокого роста человек в черном идет к кофейному автомату.

Рядом с ней появляется Бадингс.

— Очень интересно, миссис Костелло, — бормочет он, исполняя долг хозяина.

Она отделывается от него — не хочет никаких утешений. Опустив голову, ни с кем не встречаясь взглядом, она идет в туалет, запирается в кабинке.

Банальность зла[1]. Может быть, поэтому теперь нет никакого запаха, никакой ауры? Неужели все грандиозные Люциферы Данте и Мильтона ушли

---

[1] Литературная и историческая аллюзия, которая отсылает читателя к книге Ханны Арендт «Банальность зла: Эйхман в Иерусалиме». Арендт присутствовала в качестве корреспондента на суде над Адольфом Эйхманом — бывшим оберштурмбаннфюрером СС, который отвечал за «окончательное решение еврейского вопроса». Суд проходил в Иерусалиме в 1961 году.

навсегда, а их место заняла стая маленьких пыльных демонов, которые сидят на плечах людей, как попугаи, и не то что не сверкают огненным светом, а напротив, поглощают свет собой? Или все сказанное ею, все ее показывание пальцем, все ее обвинения были не только абсурдны, но и безумны, совершенно безумны? В чем в конечном счете состоит призвание романиста, в чем было ее призвание на протяжении всей жизни, если не в том, чтобы оживлять инертную материю; и что совершил Пол Уэст, как сказал бородатый человек, если не оживил, вытащил на свет божий историю того, что случилось в том берлинском подвале? Что привезла она в Амстердам, чтобы показать этим недоумевающим иностранцам, кроме одержимости, одержимости, которая касается только ее и которую она понимает не очень отчетливо?

Непотребство. Вернись к этому слову-талисману, держись за него крепче. Держись за него крепче, а потом дотянись до опыта за ним: она всегда руководствуется этим правилом, когда чувствует, что соскальзывает в абстракции. Каким был ее опыт? Что случилось с ней, когда она сидела за чтением этой злополучной книги на газоне в то субботнее утро? Что расстроило ее так сильно, что год спустя она все еще доискивается до истины? Сможет ли она найти путь назад?

Она и до того, как взялась за книгу, знала историю июльских заговорщиков, знала, что не прошло и нескольких дней после их попытки покушения на жизнь Гитлера, как большинство из них арестовали, судили и казнили. Она даже знала в общих чертах, что их предали смерти со злобной жестокостью, в которой специализировались Гитлер и его приближенные. Поэтому ничто в этой книге по-настоящему ее не удивило.

Она возвращается к палачу, как там его звали. В его издевательствах над людьми, которые должны через несколько минут принять смерть от его рук, было зверство, энергия непотребства, превышавшая полученный им заказ. Откуда взялась эта энергия? Про себя она называла ее сатанинской, но, может быть, ей теперь стоит отказаться от этого слова. Потому что эта энергия в известном смысле происходила от самого Уэста. Именно Уэст изобрел издевательские словечки (на английском, не на немецком) и вложил их в уста палача. Подбор выражений под персонаж: что в этом сатанинского? Она сама постоянно делает это.

Вернуться. Вернуться в Мельбурн, к тому субботнему утру, когда она почувствовала — она могла поклясться в этом — прикосновение жарких, кожистых крыльев Сатаны. В чем было ее заблуждение? *Я не хочу это читать*, сказала она себе, но читать она продолжила, возбужденная против воли. *Дьявол искушает меня* — это что еще за отговорка?

Пол Уэст только исполнял свой писательский долг. Создав образ палача, он открыл ей глаза на человеческое падение в одной из его многочисленных форм. Образами жертв палача он напомнил ей о том, какие мы несчастные, раздвоенные, дрожащие существа. Что в этом плохого?

Что сказала она? *Я не хочу это читать?* Но какое право имела она отказываться? Какое право имела она не знать то, что в ясном сознании все равно знала? Что в ней хотело противиться, отказываться от чаши? И почему она, невзирая на это, испила — испила такую полную чашу, что год спустя все еще яростно критикует человека, который поднес эту чашу к ее губам?

Если бы на противоположной стороне этой двери висело зеркало, а не был прибит обыкновенный крючок, если бы ей нужно было снять с себя одежду и преклонить колени перед ним, то она с ее отвислыми грудями и дряблыми бедрами выглядела бы как женщины на откровенных, слишком откровенных, как промельки ада, фотографиях с Европейской войны, на которых они, коленопреклоненные и голые, стоят на краю рва, куда они в следующую минуту, следующую секунду рухнут мертвые или умирающие с пулей в мозгу, вот только те женщины в большинстве случаев были моложе ее, просто измождены голодом и страхом. Она сочувствует этим мертвым сестрам, сочувствует и мужчинам, которые умерли от рук мясников, мужчинам, старым и достаточно уродливым, чтобы быть ее братьями. Ей не нравится видеть унижение ее сестер и братьев, есть много способов унизить стариков — заставить их раздеться, отобрать зубные протезы, насмехаться над их интимными местами. Если сегодня в Берлине повесят ее братьев, если они будут дергаться в петле с багровыми лицами, высунутыми языками, выпученными глазами, то она не хочет это видеть. Из сестринской застенчивости. Позвольте мне отвернуться.

Позвольте мне не смотреть. Эту мольбу она выдохнула в лицо Пола Уэста (правда, тогда она не знала Пола Уэста, он был только именем на обложке книги). *Не заставляйте меня проходить через это*! Но Пол Уэст не уступил. Он заставил ее читать, взбудоражил чтением. И поэтому ей трудно простить его. Из-за этого она прилетела к нему через океан в самую Голландию.

В этом ли правда? Сойдет ли это за объяснение?

Да, она делает то же самое. Или делала. Пока не одумалась; она, например, без всяких угрызений совести тыкала всех мордами в то, что творится на скотобойнях. Если Сатана не торжествует на бойнях, не накрывает тенью своих крыл животных, которые уже чуют запах смерти, которых гонят по эстакаде к человеку с ружьем и ножом, к человеку столь же безжалостному и *банальному* (хотя она начала чувствовать, что это слово следует отправить на покой, его дни прошли), как ближайшие соратники Гитлера (которые, в конечном счете, обучались своей профессии на скотобойнях)... если Сатана не торжествует на бойнях, то где он? Она в не меньшей степени, чем Пол Уэст, знала, как играть словами, пока те не выстроятся так, как нужно, словами, которые электрошоком сотрясут читателя. *Писатели тоже в некотором роде скотобои.*

Так что же случилось с ней теперь? Она вдруг обрела чопорность, теперь ей больше не нравится смотреть на себя в зеркало, поскольку это зрелище навевает ей мысли о смерти. Уродливые вещи — она предпочитает, чтобы они были упакованы и спрятаны подальше. Старуха, которая поворачивает часы назад, к ирландско-католическому Мельбурну ее детства. Неужели за этим не стоит ничего другого?

Вернись к своему впечатлению. Взмах кожистого крыла Сатаны: откуда ее убеждение, что она его почувствовала? И сколько она еще может занимать одну из двух кабинок в этом маленьком тесном женском туалете, прежде чем какая-нибудь добрая душа решит, что с ней случился удар, и позовет слесаря, чтобы отпер замок?

Двадцатый век Господа нашего, век Сатаны подошел к концу, он уже прошлое. Век Сатаны и ее век. Если ей удастся переползти через финишную черту в новый век, она наверняка будет чувствовать себя не в своей тарелке. В такие незнакомые времена Сатана все еще не теряет надежду, пробует новые ухищрения, создает новые приспособления. Он разбивает свой шатер в странных местах — взять хоть Пола Уэста, хорошего человека, насколько ей известно, или настолько хорошего, насколько это в человеческих силах, он к тому же еще и писатель, возможно, никакой не хороший, но склоняющийся к тому, чтобы быть им в некоем окончательном смысле, иначе вообще зачем писать? Он поселяется и в женщинах. Как печеночный сосальщик, как острица: человек может жить и умереть, даже не подозревая, что был их вместилищем на протяжении многих поколений глистов. В чьей печени, в чьем кишечнике поселился Сатана в тот роковой день в прошлом году, когда опять она доподлинно почувствовала его присутствие: в печени Уэста или ее собственной?

Старики, братья, повешены, казнены, брюки сползли на голени. В Риме это выглядело иначе. В Риме из казней устраивали представления: протаскивали приговоренных через воющую толпу, к месту смерти и сажали на кол, или сдирали с них кожу, или обливали смолой и поджигали. Нацисты, если сравнить их с римлянами, жалкие ничтожества, они расстреливали людей в поле из автоматов, травили газом в бункере, душили в подвалах. Так что же было такого *чрезмерного* в смерти от рук нацистов, что не было *чрезмерно* в Риме, который прилагал столько усилий, чтобы выжать из смерти максимум жестокости, максимум боли? Неужели все дело в грязи этого берлинского подвала — грязи, которая выглядит слишком реально, слишком современно, а потому невыносима для нее?

Это похоже на стену, в которую она снова и снова упирается. Она не хотела читать, но прочла; над ней было совершено насилие, но она в этом соучаствовала. *Он меня вынудил*, говорит она, но она подвигает к тому же и других.

Ей не следовало приезжать. Конференции существуют для обмена мыслями, по крайней мере, организаторы созывают их именно для этого. Невозможно обмениваться мыслями, если ты не знаешь, чтó ты думаешь.

Она слышит, как кто-то скребется в ее дверь, потом детский голос:

— Mammie, er zit een vrouw erin, ik kan haar schoenen zien![1]

Она быстро спускает воду, отпирает дверь, выходит.

— Прошу прощения, — говорит она, стараясь не смотреть в глаза матери и дочери.

Что говорила девочка? Спрашивала, почему она так долго? Если бы она знала этот язык, гово-

---

[1] Мама, там тетя, я вижу ее туфли (*нид.*)!

рила на этом языке, то могла бы просветить ребенка: *потому что, чем старше ты становишься, тем больше времени у тебя это занимает. Потому что иногда тебе требуется побыть одной. Потому что есть вещи, которые мы не делаем на людях, больше не делаем.*

Ее братья: позволили им воспользоваться в последний раз туалетом, или то, что они обделаются, было частью наказания? Хотя бы на этом Уэст задернул занавес, ну и на том спасибо-мерси.

Никто их потом не обмывал. Это женская работа с незапамятных времен. В тех подвальных делах нет ни одной женщины. Вход ограничен, допускаются только мужчины. Но, может быть, когда все закончилось, когда розовые щупальца рассвета коснулись неба на востоке, женщины все же появились, неутомимые немецкие уборщицы из пьес Брехта, и принялись приводить все в порядок, вымыли стены, отскребли пол, навели безукоризненную чистоту, так что, когда они закончили, никто бы и догадаться не смог, в какие игры тут играли мальчики ночью. И никто бы и не догадался, если бы мистер Уэст не вытащил все это на свет божий.

Одиннадцать часов. Следующее заседание, следующая лекция уже, вероятно, началась. У нее есть выбор. Она может либо вернуться в отель, укрыться в своем номере и продолжить предаваться скорби, либо прокрасться в аудиторию, сесть в заднем ряду и выполнить вторую свою обязанность приглашенной: выслушать, что думают другие о проблеме зла.

Должна быть третья альтернатива, какой-то способ закончить утро, придать ему форму и смысл: какая-нибудь конфронтация, ведущая к некоторому последнему слову. Нужно, чтобы она каким-то образом нечаянно столкнулась с кем-нибудь в коридоре, может быть, с самим Полом Уэстом; между ними что-то должно произойти, неожиданное, как молния, которая осветит ей ландшафт, даже если этот ландшафт вернется потом к своей исходной темноте. Но коридор, кажется, пуст.

Урок 7
ЭРОС

Она встречалась с Робертом Дунканом[1] только раз — в 1963 году, вскоре после ее возвращения из Европы. Дункан и еще один поэт, менее интересный, по имени Филип Уэйлен[2], были призваны на гастроли Информационной службой США: шла «холодная война», денег на культурную пропаганду хватало. Дункан и Уэйлен выступили в Мельбурнском университете, а потом все отправились в бар: два поэта, человек из консульства и дюжина австралийских писателей всех возрастов, включая и ее.

Дункан тем вечером прочел свое длинное «Стихотворение, начинающееся строкой Пиндара», и оно произвело на нее впечатление, тронуло ее. Ее влекло к Дункану с его невыносимо красивым римским профилем; она бы не возражала против интрижки с ним, не возражала бы даже — в том настроении, в каком пребывала тогда, — родить от него дитя любви, как одна из тех смертных женщин из мифа, зачавших от непостоянного бога, который оставил ее воспитывать полубожественного отпрыска.

---

[1] *Роберт Эдвард Дункан* (1919–1988) — американский поэт.

[2] *Филип Гленн Уэйлен* (1923–2002) — американский поэт, последователь дзен-буддизма.

Она вспомнила о Дункане из-за книги, которую ей прислал ее американский друг и в которой она только что наткнулась на еще одну историю Эроса и Психеи, написанную некой Сьюзен Митчелл[1], которую она не читала прежде. Откуда такой интерес к Психее среди американских поэтов, недоумевает она. Неужели они находят в ней что-то американское, в этой девочке, которая, не удовлетворившись теми наслаждениями, что она получала от ночных визитов в ее постель неведомого гостя, должна зажечь лампу, рассеять тьму, увидеть его обнаженным? Неужели они узнают себя в ее беспокойстве, в ее неспособности довольствоваться тем, что имеешь?

У нее тоже вызывают любопытство любовные отношения между богами и смертными, хотя она об этом никогда не писала, даже в своей книге о Марион Блум и ее одержимом богом муже Леопольде. Ее интригует не столько метафизика, сколько механика, практическая сторона соития, преодолевающая различия сущностей. Не подарок, когда взрослый самец лебедя сучит по твоей заднице перепончатыми лапами, беря тебя на свой лебединый манер, или когда бычара весом в тонну наваливается на тебя всем своим сладострастным телом; когда бог не дает себе труда изменить форму, а остается в своем жутком обличье, каким образом человеческое тело приспосабливается под взрыв его желания?

Нужно отдать должное Сьюзен Митчелл: она не уходит от таких вопросов. В ее стихотворении Эрос, который для такого случая принял челове-

---

[1] *Сьюзен Митчелл* (род. 1944) — американская поэтесса, известная своими эротическими стихами.

ческие размеры, лежит на кровати на спине, его крылья торчат в обе стороны, а девица расположилась (как можно предполагать) сверху. Семя богов, похоже, фонтанировало с невероятной силой (вероятно, это испытала и Мария из Назарета, когда пробудилась от сна все еще в легкой дрожи от струи Духа Святого, текущей по ее бедрам). Когда кончает любовник Психеи, его крылья влажны; а может быть, с крыльев капает семя, может быть, они сами становятся органами совокупления. В тех случаях, когда он и она одновременно приходят к оргазму, он остается лежать без сил (почти такими словами и пишет об этом Митчелл), как птица, подстреленная на лету. («А что с девушкой, — хочет она спросить у поэтессы, — если ты можешь сказать, что чувствовал он, то почему не сказать нам, что чувствовала она?»)

Но на самом деле тем вечером в Мельбурне, когда Роберт Дункан твердо дал ей понять: его не интересует ничто из того, что она может ему предложить, ей хотелось поговорить с ним не о девицах, которых посещают боги, а о более редком явлении: о богинях, снисходящих до смертных мужчин. Взять того же Анхиса, любовника Афродиты и отца Энея. Вполне можно предположить, что после этого непредвиденного и незабываемого эпизода в его хижине на горе Ида Анхис (симпатичный парнишка, если верить «Гимнам» Гомера[1], но в остальном обыкновенный пастух) всем, кто его слушал, не хотел говорить ни о чем другом, только о том, как он трахал богиню, самую

[1] Имеется в виду «Гимн к Афродите» Гомера.

привлекательную во всей конюшне[1], трахал ее всю долгую ночь и к тому же обрюхатил.

Ах уж эти мужские рассказы, сопровождаемые этакой ухмылочкой. Она не испытывала никаких иллюзий по поводу того, как смертные существа относятся к всевозможным богам, настоящим или вымышленным, древним или современным, которые имели несчастье попасть в их руки. Она вспоминает виденный ею когда-то фильм, сценарий которого мог написать Натаниэл Уэст[2], но не написал: Джессика Лэнг там играла голливудскую секс-богиню, с которой случается нервный срыв, и она после лоботомии доживает свои дни в общей палате сумасшедшего дома, накачанная лекарствами, пристегнутая к кровати, а санитары продают билеты на десять минут времени с ней. «Я хочу трахнуть кинозвезду!» — говорит, судорожно дыша, один из их клиентов, показывая им доллары. В его голосе слышится уродливое скрытое идолопоклонничество: злорадство, смертельное негодование. Опустить бессмертную на землю, показать ей, какова она на самом деле, жизнь, драть ее до крови. *Вот тебе! Вот тебе!* Ту сцену вырезали из телевизионной версии, настолько это до костей продрало Америку[3].

---

[1] Анхис скрещивал своих кобыл с божественными жеребцами, принадлежавшими царю Лаомедонту.

[2] *Натаниэл Уэст* (1903–1940) — американский писатель, сценарист, автор романов, по тональности близких к описываемому здесь фильму «Фрэнсис».

[3] Речь идет о кинофильме «Фрэнсис» (англ. Frances) режиссера Грэма Клиффорда, вышедшем на экраны в 1982 году. Фильм рассказывает о судьбе реальной американской актрисы Фрэнсис Фармер.

Но в случае с Анхисом богиня, поднявшись с его ложа, ясно предупредила любовника, чтобы он держал рот на замке. Так что рассудительному парню не оставалось ничего другого, только забыться перед сном в дремотных воспоминаниях: что он чувствовал, соприкасаясь своей смертной плотью с плотью богини; или, когда он пребывал в более трезвом, более философическом настроении, размышлять вот о чем: поскольку физическое смешение двух существ разной природы, а конкретнее, взаимодействие человеческих органов с тем, что имеется вместо органов в биологии богов, строго говоря, не является возможным, по крайней мере, пока действуют законы природы, то в какое существо, в какой гибрид рабского тела и божественной души должна была преобразить себя смехолюбивая Афродита на время одной ночи, чтобы соединиться с ним? Где пребывала эта всемогущая душа, когда он заключил в свои объятия это несравненное тело? Была спрятана в каком-то отдаленном закоулке, например, в какой-то крохотной полости черепа, или размазана безвредно по физическому целому в виде сияния, ауры? Но даже если ради него душа богини была спрятана, как он мог не почувствовать, когда она оплела его своими конечностями, огня божественной страсти, не почувствовать ее душу и остаться ею неопаленным? Почему понадобилось на следующее утро объяснять ему, что случилось? (Остановилась богиня богинь, головой достигая Притолоки, сделанной прочно, и ярко сияли ланиты Той красотою нетленной, какою славна Киферея. И пробудила от сна, и такое промолвила слово: «Встань поскорей, Дарданид! Что лежишь ты во сне непробудном? Встань и ответь себе точно, кажусь ли сейчас я подобной Деве, какою сначала меня ты увидел глазами»[1].) Как это могло произойти, если только он, человек, с самого начала и до конца не пребывал в очарованном состоянии, родственном анестезии, чтобы скрыть страшное знание о том, что дева, которую он раздел, обнял, чьи ноги развел, в кого проник, бессмертна, если не пребывал в трансе, который защищал его от невыносимого сладострастия божественного совокупления, оставляя только притупленные ощущения смертного? И все же, зачем богине было выбирать смертного любовника, а потом этого самого любовника заколдовывать, чтобы во время любовного соития он не был самим собой?

Можно представить, что именно так должны были обстоять дела с бедным околдованным Анхисом на всю его остававшуюся жизнь: водоворот вопросов, ни один из которых он из страха быть тут же пораженным насмерть не осмеливался транслировать своим приятелям-пастухам, разве что в самой общей форме.

Но поэты говорят, что дело обстояло иначе. Если верить поэтам, Анхис и после этого жил нормальной жизнью, благородной, но нормальной человеческой жизнью до того дня, когда его город подожгли враги и он был вынужден отправиться в изгнание. Если он и не забыл эту знаменательную ночь, то много о ней тоже не думал в том смысле, в каком мы понимаем слово «думать».

Вот главное, о чем ей хотелось бы спросить Роберта Дункана как специалиста по немыслимым

---

[1] Гомеровы Гимны, Гимн Афродите, перевод В. Вересаева.

соитиям[1], — о том, что́ она не может понять о греках или, если Анхис и его сын были не греками, а троянцами, чужаками, то о греках и троянцах вместе взятых как о древних восточносредиземноморских народах и субъектах эллинистического мифотворчества. Она называет это отсутствием у них духовного начала. Анхис состоял в близких отношениях с божественной сущностью, настолько близких, что ближе не бывает. Не совсем обычный случай. Во всей христианской мифологии, если не говорить об апокрифах, есть только одно похожее событие, да и то в вульгарной форме: бог мужского рода — правда, нужно сказать, довольно обезличенно, довольно удаленно — обрюхатил смертную женщину. Говорят, что Мария потом заявила: Magnificat Dominum anima mea[2], впрочем, возможно, это неправильно понятое Magnam me facit Dominus[3]. Больше она в Евангелиях не произносит ни слова, эта дева, эта несравненная, — словно выпавшая ей судьба поразила ее немотой. Ни у кого из ее близких не хватает бесстыдства спросить: «Ну, и как это было, что ты чувствовала, как ты вынесла это?» Но этот вопрос явно приходил людям в голову, например, ее назаретским подружкам. «Как она это вынесла?» — вероятно, перешептывались они между собой. «Наверное, это все равно как если бы ее трахал кит. Наверное, это все равно как если бы ее трахал Левиафан»; они покрывались румянцем, произнося это слово, босоногие дети колена Иудина, как она, Элизабет Костелло, тоже чуть ли не покрывается

---

[1] Намек на то, что Дункан был гомосексуалом.

[2] Величит душа Моя Господа (*лат.*), от Луки, 1:46–55.

[3] Господь делает меня великой (*лат.*).

румянцем — она ловит себя на этом, формулируя свои мысли на бумаге. Довольно грубая постановка вопроса в среде односельчан Марии; явное непотребство для человека на два тысячелетия старше и мудрее.

Психея, Анхис, Мария: наверное, существуют более подходящие, менее сладострастные, более философские подходы к осмыслению всех этих взаимоотношений бога и человека. Но есть ли у нее время или инструментарий (не говоря уже о желании) сделать это?

Духовное начало. Можем ли мы настолько глубоко быть едины с богом, чтобы оценить, *почувствовать* божественную сущность? Вопрос, который в наши дни, кажется, никто не задает, кроме разве что ее недавней находки — Сьюзен Митчелл, но Сьюзен тоже не философ; вопрос, который за время жизни Элизабет вышел из моды (она помнит, как это происходило, помнит свое удивление), так же неожиданно, как незадолго до ее рождения вошел. *Другие формы существования*. Возможно, это более пристойная формула. Есть ли другие формы существования, кроме той, что мы называем человеческой, которые мы можем принимать; и если их нет, то что это говорит о нас и наших ограничениях? Она плохо знает Канта, но этот вопрос кажется ей кантианским. Если она не ошибается, то духовное начало выпустил в мир человек из Кенигсберга, а прикончил его в той или иной мере Витгенштейн[1], уничтожитель из Вены.

---

[1] *Людвиг Йозеф Иоганн Витгенштейн* (1889–1951) — австрийский философ и логик, представитель аналитической философии, один из крупнейших философов XX века.

«Боги безусловно существуют, — пишет Фридрих Гёльдерлин[1], который читал Канта, — но они живут своими жизнями где-то высоко над нами, в другом царстве, и их, кажется, не очень волнует, есть мы или нас нет». В давно миновавшие времена эти боги сошли на землю, ходили среди людей. Но нам, живущим сегодня, более не дано столкнуться с ними и, уж конечно, выносить их любовь. «Мы пришли слишком поздно».

Круг ее чтения с годами все более и более сужается. Явление распространенное. Но для Гёльдерлина у нее всегда находится время. *Великодушный Гёльдерлин* — так назвала бы она его, будь она гречанкой. И тем не менее мысли Гёльдерлина о богах вызывают у нее сомнения. Он слишком невинен, думает она, слишком готов принимать вещи по первому впечатлению; он не учитывает коварства истории. Вещи редко такие, какими кажутся, хотелось бы ей наставить его. Когда мы, расчувствовавшись, оплакиваем потерю богов, более чем вероятно, что сами боги и разогревают это наше чувство. Боги не ушли — они не могут себе это позволить.

Странно, что человек, который разобрался с божественной *апатией*[2], то есть неспособностью богов чувствовать и возникающей отсюда их потребностью вынуждать других чувствовать за них, не обратил внимания на воздействие апатии на их эротическую жизнь.

---

[1] *Иоганн Христиан Фридрих Гёльдерлин* (1770–1843) — немецкий поэт.

[2] Апатия как философское понятие обозначает отрешение от всех страстей, освобождение от чувства страха и проблем окружающей действительности.

Любовь и смерть. Боги, бессмертные, изобрели смерть и разложение, но, за одним-двумя примечательными исключениями, им не хватало мужества испытать свое изобретение на себе. Вот почему мы вызываем у них такое любопытство, вот почему они так бесконечно любознательны. Мы называем Психею глупой, назойливой девчонкой, но позвольте сначала узнать, что делал бог в ее постели? Обрекая нас на смерть, они дали нам преимущество над ними. Из двух сущностей — богов и смертных — именно мы живем более напряженной жизнью, чувствуем более остро. Вот почему они не могут выкинуть нас из своих мыслей, не могут жить без нас, бесконечно наблюдают за нами и эксплуатируют нас. Вот почему в конечном счете они не объявляют запрета на секс с нами, только составляют правила, регламентирующие, где, в какой форме и как часто. Изобретатели секса, они же и изобретатели секс-туризма. В сексуальных экстазах людей присутствует нервная дрожь смерти, ее схватки и расслабление: они бесконечно говорят об этом, когда перепьют — кого они выбрали первым, чтобы пережить с ним это, что при этом чувствовали. Они сожалеют, что в их эротическом репертуаре нет этой неподражаемой маленькой дрожи, чтобы обострять их соития друг с другом. Но цена такова, что они не готовы ее платить. Смерть, небытие; а что если нет воскресения, опасливо спрашивают они себя.

Мы считаем их всеведущими, этих богов, но истина состоит в том, что знают они очень мало, а то, что они знают, они знают лишь очень поверхностно. Нет такой отрасли знания, которую они могли бы назвать своей собственностью, нет никакой философии, достойной этого названия. Их космология — собрание банальностей. Единственное в чем они знают толк, это в астральном полете, их единственная доморощенная наука — антропология. Они специализируются на человечестве, потому что у нас есть то, чего нет у них; они изучают нас, потому что завидуют.

Что же касается нас, то догадываются ли они (какая ирония!), что наши объятия так страстны, так незабываемы, потому что они дают нам краем глаза взглянуть на жизнь, которую мы представляем их жизнью, на жизнь, которую мы называем (поскольку в нашем языке нет подходящего слова) *загробной*? «Мне не нравится этот потусторонний мир», — пишет Марта Клиффорд[1] своему коллеге по перу Леопольду Блуму, но она лжет: зачем бы ей вообще это писать, если она не хотела быть унесенной в другой мир демоническим любовником?

Леопольд тем временем бродит по коридорам Дублинской публичной библиотеки, заглядывает — когда никто не видит — между ног статуям богинь. Если у Аполлона мраморные член и яйца, то есть ли у Артемиды отверстие, соответствующее размерам Аполлона? Эстетические исследования, так он называет для себя свое занятие: как далеко простираются обязанности художника по отношению к природе? На самом же деле он хочет узнать, будь у него желание выразить это словами, возможно ли соитие с божеством.

А сама она? Сколько она сама узнала о богах, гуляя по Дублину с этим неизлечимо заурядным

---

[1] *Марта Клиффорд* — персонаж «Улисса» Джеймса Джойса, женщина, откликнувшаяся на объявление в газете, сделанное Блумом, который искал машинистку.

человеком? Почти как если бы была его женой. Элизабет Блум, его вторая и призрачная жена.

Вот что она наверняка знает о богах: они все время подглядывают за нами, даже из любопытства, из зависти заглядывают между ног; иногда даже доходят до того, что требуют нашего внимания. Но насколько глубоко в самом деле простирается их любопытство, спрашивает она себя. Если не считать наших эротических даров, то интересуем ли мы, субъекты их антропологических наблюдений, богов в той же степени, в какой нас, в наш черед, интересуют шимпанзе, птицы, мухи? Несмотря на свидетельства обратного, ей бы хотелось думать, что в той же степени, в какой нас интересуют шимпанзе. Ей хочется думать, что боги восхищаются, пусть и скрепя сердце, нашей энергией, нашими бесконечными ухищрениями, с помощью которых мы пытаемся избежать своей судьбы. Ей хочется думать, что они, поглощая амброзию, говорят друг другу: «Очаровательные существа. Во многих отношениях так похожи на нас; особенно выразительны их глаза, какая жалость, что у них нет je ne sais quoi[1], без чего они никогда не смогут подняться до наших высот и сесть рядом!»

Но, возможно, она ошибается в том, что касается их интереса к нам. Или, точнее, она прежде была права, а теперь заблуждается. В ее золотую пору, хочется думать ей, она сама могла бы дать повод крылатому Эроту посетить землю. Не потому что она была такой уж красавицей, а потому что жаждала почувствовать прикосновение бога,

---

[1] Не знаю чего (*фр.*).

жаждала до боли; потому что она в своих желаниях, таких неосуществимых, а потому и комичных, если предпринимать по ним какие-то действия, могла бы пообещать богу, что он насладится подлинным вкусом того, что отсутствовало у них дома на Олимпе. Но теперь, казалось, все стало иным. Где сегодня в мире найдешь такие бессмертные желания, какие охватывали ее тогда? Уж не среди личных объявлений в колонках знакомств — точно. «ОБЖ[1] 5 ф. 8 д., за тридцать, брюнетка, любитель астрологии, байкер, ищет ОБМ 35–45 для дружбы, удовольствий, приключений». Нигде не увидишь: «РБЖ[2] 5 ф. 8 д., за шестьдесят, приближается к смерти, и смерть спешит к ней, ищет Б, бессмертного в земной нематериальной форме для целей, которые невозможно описать никакими словами». В редакции нахмурятся. Скажут, непотребные страсти, и кинут ее в одну мусорную корзинку с педерастами.

Мы не призываем богов, потому что больше не верим в них. Она ненавидит предложения, которые держатся на «потому что». Мышеловка захлопывалась, но мышке каждый раз удавалось ускользнуть. И вообще, какая нерелевантность! Какое заблуждение! Хуже, чем Гёльдерлин! Кого волнует, во что мы верим? Единственный вопрос состоит в том, будут ли боги по-прежнему верить в нас, сможем ли мы сохранить последний язычок того пламени, которым когда-то горели они. «Для дружбы, удовольствий, приключений»: разве этим можно привлечь бога? Там, откуда они родом, развлечений более чем достаточно. И красоты тоже.

---

[1] *ОБЖ* — одинокая белая женщина.
[2] *РБЖ* — разведенная белая женщина.

Странно, но по мере того, как желания становятся скупее, она все яснее и яснее понимает, что вселенной правит страсть. «Вы ведь изучали Ньютона?» — хотелось бы ей спросить у людей в агентстве знакомств (ей хотелось бы спросить это и у Ницше, если бы удалось с ним связаться). *Страсть действует в обе стороны: А притягивает В, потому что В притягивает А, и наоборот: вот как мы строим вселенную*. Или, если «страсть» слишком грубое слово, то, может быть, «влечение»? Влечение и случай: мощный дуэт, более чем достаточный по своей мощи, чтобы построить на нем космологию как для атомов и маленьких штучек с бессмысленными названиями, из которых состоят атомы, так и для альфы Центавра и Кассиопеи и великой бескрайней глуши за ними. И нас, и богов, беспомощных, носило на ветрах случая, но нас в равной мере притягивало друг к другу, не только к B, и C, и D, но и к X, Y, Z, а еще и к Омеге. И последнее, хотя и не по важности: нас звала любовь.

Видение, прозрение, в том смысле, в каком божественный свод прозревает радугой, когда прекращается дождь. Достаточно ли для стариков иметь время от времени как утешение эти видения, эти радуги, прежде чем на землю снова хлынет дождь? Неужели для того, чтобы понять эту модель, человек должен сначала дожить до преклонных лет и понять, что ноги уже не позволяют ему присоединиться к танцу?

Урок 8

У ВРАТ

Стоит жаркий день. На площади яблоку негде упасть. Лишь немногие удостаивают взглядом седовласую женщину, которая с чемоданом в руке выходит из автобуса. На ней голубое хлопчатобумажное платье, ее шея обгорела на солнце и усеяна капельками пота.

Мимо столиков, выставленных на улицу, мимо молодых людей, с чемоданом, колесики которого постукивают по булыжнику, идет она к вратам, где сонный человек в форме стоит на посту, опираясь на ружье, приклад которого покоится на земле.

— Это и есть врата? — спрашивает она.

Он утвердительно моргает один раз из-под фуражки.

— Я могу пройти?

Движением глаз он показывает на привратницкую с одной стороны.

В привратницкой, сколоченной из сборных деревянных панелей, удушающая жара. За маленьким столом, установленным на козлах, сидит человек в рубашке, пишет. Маленький электрический вентилятор гонит струю воздуха ему в лицо.

— Прошу прощения, — говорит она. Он словно и не слышит. — Прошу прощения. Может кто-нибудь открыть мне врата?

Он заполняет какой-то бланк. Не переставая писать, говорит:

— Сначала вы должны сделать заявление.

— Заявление? Кому? Вам?

Левой рукой он подвигает ей лист бумаги. Она отпускает ручку чемодана и берет бумагу. Обычный лист писчей бумаги.

— Прежде чем меня пропустят, я должна сделать заявление, — повторяет она. — Заявление о чем?

— О ваших приверженностях[1]. Во что вы верите.

---

[1] Терминология этой главы требует объяснения. В английском языке есть два очень близких по смыслу слова, которые в большинстве случаев оба переводятся на русский, как «вера», «верить» и их производные; это слова *belief* и *faith*; эти слова являются в некоторой мере определяющими для понимания главы «У врат». В английском языке разница между этими словами, хотя и очень тонкая, не всегда ощущаемая даже носителями языка, все же существует. Для иллюстрации этой разницы приведем цитату из перевода Библии, выполненного под патронажем короля Якова I и опубликованного в 1611 году.

«So Jesus said to them, “Because of your *unbelief*; for assuredly, I say to you, if you have *faith* as a mustard seed, you will say to this mountain, ‘Move from here to there’, and it will move; and nothing will be impossible for you”» (от Матфея, 17:20).

Если мы заглянем в русский канонический перевод Библии, то увидим, что там не делается различий между двумя разными словами, выделенными жирным шрифтом в английской версии:

«Иисус же сказал им: по *неверию* вашему; ибо истинно говорю вам: если вы будете иметь *веру* с горчичное зерно и скажете горе сей: “перейди отсюда туда”, и она перейдет; и ничего не будет невозможного для вас». В чем же это различие?

Английское *faith* обозначает веру, в том числе и в религиозном понимании этого слова. *Belief* наряду с религиозной верой обозначает состояние убежденности в чем-

— О приверженностях? И это все? Не о моем вероисповедании? А если у меня нет приверженностей? Что если я ничему не привержена?

Человек пожимает плечами. Он в первый раз смотрит прямо на нее.

— У всех нас есть приверженности. Мы же не скот. Мы все чему-то привержены. Напишите, чему привержены вы. В форме заявления.

У нее нет сомнений о том, где она, кто она. Она проситель перед вратами. Путешествие, которое привело ее сюда, в эту страну, в этот город, путешествие, которое, казалось, достигло пункта назначения, когда автобус остановился и его двери открылись на переполненную площадь, вовсе не было концом всего. Теперь начинается испытание другого рода. От нее требуется какое-то действие, некое предписанное, но и неопределенное утверждение, после чего ее признают пригодной и пропустят. Но будет ли ее судьей этот человек, этот краснолицый, коренастый мужчина, на чьей довольно условной форме (военной? национальной гвардии?) она не видит знаков различия, но на

либо. Обычно (хотя и не всегда) это идеи, концепции, которые мы приобрели, получая информацию и опыт. По этой причине *beliefs* могут изменяться, по мере того как мы обретаем больше знаний, получаем новый жизненный опыт.

В русском языке нет слов, точно передающих смысловые различия между словами *belief* и *faith*; переводчик в данном случае, понимая все недостатки своего выбора, предлагает читателю такой вариант перевода: вера, верить — для *faith* и приверженность/приверженности — для *belief*(s) (не последнюю роль в таком выборе сыграл и тот факт, что слово «приверженность» однокоренное со словом «вера»). Читая главу «У врат», следует помнить об этой неизбежной условности.

чье лицо вентилятор, не отклоняясь ни вправо, ни влево, гонит прохладу, тогда как ей хочется, чтобы он гнал прохладу на ее лицо?

— Я писатель, — говорит она. — Вы здесь, вероятно, обо мне не слышали, но я пишу. Или писала. Под именем Элизабет Костелло. Моя профессия — не обзаводиться приверженностями. Моя профессия писать. А то, о чем говорите вы, не мое дело. Я делаю имитации, как сказал бы Аристотель[1].

Она замолкает ненадолго, а потом произносит следующее предложение, которое позволит ей определить, судья ли перед ней, наделенный правом судить ее, или, напротив, всего лишь первый в длинной череде, ведущей никто не знает к какому безликому функционеру, в какой канцелярии, какого замка.

— Я могу сделать имитацию приверженности, если хотите. Этого будет достаточно для ваших целей?

В его ответе слышится нетерпение, словно он слышал подобное предложение тысячу раз.

— Напишите заявление, как полагается, — говорит он. — Принесите, когда закончите.

---

[1] Аристотель утверждал, что суть искусства в подражании (греч. мимесис, или мимезис, — подобие, воспроизведение, подражание — один из основных принципов эстетики, в самом общем смысле) вещам, искусство может представить их более красивыми или более отвратительными, чем они есть, оно может (и даже должно) ограничиваться их общими, типичными, необходимыми свойствами. Он различал три вида подражания, которые пришли в эстетику европейского искусства. Он говорил, что поэт, как и художник, или «должен изображать вещи так, как они были или есть, или как о них говорят и думают, или какими они должны быть».

— Хорошо, я так и сделаю. А в какое время вы уходите со службы?

— Я всегда здесь, — отвечает он.

Из его ответа она понимает, что этот городок, в котором она оказалась, где привратник никогда не спит, а людям в кафе, кажется, некуда пойти и у них нет иных обязательств, кроме как сотрясать воздух своим щебетом, что этот городок ничуть не более реален, чем она; не более, но, возможно, и не менее.

Она садится за один из столиков на улице и быстро сочиняет то, что должно стать ее заявлением. «Я писатель, торговец вымыслом, — пишет она. — Я придерживаюсь тех или иных приверженностей только временно: постоянная приверженность мешала бы мне. Я меняю приверженности, как меняю жилье или одежду, в соответствие с моими потребностями. На этих основаниях (профессиональных, квалификационных) я прошу сделать для меня исключение из правила, о котором я сейчас узнала впервые, а именно о правиле, согласно которому каждый проситель у врат должен иметь не менее одного убеждения».

Она несет свое заявление в привратницкую. Она предполагала, что ее заявление может быть отвергнуто — так оно и случилось. Человек за столом не отправляет его к более высоким властям — оно явно этого не заслуживает. Он только покачивает головой, роняет его на пол, а ей подвигает чистый лист бумаги.

— Про ваши приверженности, — говорит он.

Она возвращается на свой стул на улице. Уж не стану ли я некой институцией, думает она: старухой, которая заявляет, что она — писатель вне рамок закона? Женщина, которая, сидя рядом со своим черным чемоданом (а что в нем? — она уже даже и не помнит), пишет одну за другой просьбы, приносит их человеку в привратницкой, а этот человек их отвергает на том основании, что они недостаточно хороши — не это требуется, чтобы тебя пропустили...

— А могу я только посмотреть? — говорит она после второй неудачной попытки. — Взглянуть, что там у вас по другую сторону? Может, оно мне и не нужно вовсе.

Человек тяжело встает из-за стола. Он не так стар, как она, но тоже не молод. На нем сапоги для верховой езды, на его синих саржевых брюках красные канты по обеим сторонам. Как же ему, наверное, жарко, думает она. И как холодно зимой! Не самая приятная работа — быть привратником.

Они проходят мимо солдата, опирающегося на ружье, к самим вратам, таким массивным, что могут сдержать и напор целой армии. Из сумки на поясе привратник достает ключ длиной почти с его предплечье. Неужели он сейчас скажет ей, что врата эти предназначены для нее и только для нее? И более того: ее судьба в том, чтобы никогда не пройти за них? Не напомнить ли ему, не сообщить ли ему — она знает, что почем?

Ключ два раза поворачивается в замке.

— Прошу — удовлетворите свое любопытство, — говорит этот человек.

Она наклоняет голову к щели. Миллиметр, два миллиметра, он приоткрывает дверь и тут же закрывает ее.

— Вы все видели, — говорит он. — Это будет отражено в деле.

Что она видела? Несмотря на свое неверие, она ожидала, что за этой дверью, отделанной тиковым деревом и латунью, а еще и явно тканью аллегории, она увидит что-то невообразимое: свет такой яркости, что земные органы чувств будут ослеплены. Но свет вовсе не невообразимый. Он всего лишь лучезарный, возможно, лучезарнее всего, что она видела прежде, но не на порядок, не лучезарнее, скажем, длящейся бесконечно магниевой вспышки.

Человек похлопывает ее по руке. Это удивительный жест — она никак не ожидала от него такого, удивительно личного. Это как палач, думает она, который говорит, что не желает тебе ничего плохого, просто исполняет свой печальный долг.

— Ну, теперь вы видели, — говорит он. — Теперь вы постараетесь получше.

* * *

В кафе она делает заказ на итальянском — самый подходящий язык, думает она, для такого городка родом из оперы-буфф — и оплачивает его банкнотами, которые находит в своем кошельке, она не помнит, откуда они у нее. И вообще они подозрительно похожи на игрушечные деньги: на одной стороне изображение какого-то бородатого типа с внешностью из девятнадцатого века, на другой стороне цифровое обозначение — 15, 10, 25, 100 — в оттенках зеленого и вишнево-красного. Пять чего? Десять чего? Тем не менее официант принимает их — вероятно, они все же в некотором роде пригодны.

Какими бы ни были эти деньги, их у нее не много: четыре сотни единиц. Ее заказ стоит пять вместе с чаевыми. Что случается, когда у тебя кончаются деньги? Есть ли здесь какая-то администрация, на чье милосердие можно рассчитывать?

Она задает этот вопрос привратнику.

— Если вы отклоняете мои заявления, то мне придется поселиться с вами в этом доме, — говорит она. — Отель мне не по карману.

Это шутка, она просто хочет встряхнуть этого довольно угрюмого типа.

— Для задержавшихся заявителей есть общежитие, — отвечает он. — С кухней и удобствами. Все предусмотрено.

— С кухней или с бесплатной кормежкой? — спрашивает она.

Он не реагирует. Они в этом месте явно не привыкли к шуткам.

* * *

Общежитие представляет собой длинную комнату без окон, с низким потолком. Единственная голая лампочка освещает проход. По обеим сторонам в два этажа сколоченные вместе койки из видавшего виды дерева, покрашенного краской цвета темной ржавчины, которые вызывают у нее ассоциации с поездом. И, приглядевшись внимательнее, она видит нанесенные по трафарету обозначения 100377/ 3 CJG, 282220/ 0 CXX... На большинстве коек соломенные тюфяки: это солома в мешках из обивочной материи; тюфяки в жару, в закрытом помещении, издают запах смазки и застарелого пота.

Она думает, что с таким же успехом могла оказаться в одном из многочисленных лагерей ГУЛАГа. Или в одном из лагерей Третьего рейха. Все это изготовлено по известным лекалам, что отнюдь не свидетельствует об оригинальности.

— Что это за место? — спрашивает она у женщины, которая впустила ее.

Спрашивать не было нужды. Она знает ответ, еще не услышав его.

— Место, где вы будете ждать.

Женщина — она пока не спешит называть ее капо — и сама являет собой клише: коренастая крестьянка в бесформенном сером одеянии, косынке, сандалиях, в синих шерстяных чулках. Но смотрит женщина спокойным умным взглядом. Элизабет испытывает какое-то щекочущее ощущение, будто видела эту женщину прежде, или ее двойника, или ее фотографию.

— Могу я сама выбрать себе койку? — спрашивает она. — Или это тоже предопределено в отношении меня?

— Выбирайте, — отвечает женщина. У нее непроницаемое лицо.

Вздохнув, Элизабет делает выбор, поднимает на койку чемодан, расстегивает молнию.

* * *

Время идет даже в этом городке. Наступает день, ее день. Она оказывается перед судейским местом в пустом помещении. На столе в ряд стоят девять микрофонов. На стене за столом — эмблема в виде гипсового рельефа: два щита, два скрещенных копья и нечто похожее на эму, но, вероятно, призванное изображать более благородную птицу, с лавровым венком в клюве.

Человек, которого она принимает за бейлифа[1], приносит ей стул и показывает, что она мо-

---

[1] В современном английском — судебный пристав.

жет сесть. Она садится, ждет. Все окна закрыты, в помещении душно. Она показывает бейлифу, что ей хочется пить. Он делает вид, что не замечает ее.

Открывается дверь, и один за другим входят судьи, ее судьи, судьи, которые будут судить ее. Она думает, что под мантиями они — существа Гранвиля[1]: крокодил, осел, ворон, жук-точильщик. Но нет, они одного с ней типа, одного вида.

У них даже лица человеческие. Они все мужчины; пожилые мужчины.

Ей не требуются подсказки бейлифа (он теперь стоит за ее стулом) — она встает сама. От нее потребуется участие в представлении, она надеется, что правильно поймет намеки.

Судья в середине чуть кивает ей; она отвечает ему кивком.

— Вы?.. — говорит он.

— Элизабет Костелло.

— Верно, просительница.

— Или соискательница, если это улучшает мои шансы.

— И это ваши первые слушания?

— Да.

— И вы хотите?..

— Я хочу пройти через врата. На ту сторону. Познакомиться с тем, что меня там ждет.

— Да. И вы уже, вероятно, знаете, что все упирается в вопрос приверженностей. У вас есть заявление для нас?

---

[1] Жан Иньяс Изидор Гранвиль (1803–1847) — французский рисовальщик-иллюстратор. Известность он приобрел с 1828-го, когда появились его «Метаморфозы» — типы известных в Париже деятелей, с великолепной точностью изображенных в виде различных животных.

— У меня есть заявление, переработанное, сильно переработанное, переработанное многократно. Переработанное, осмелюсь сказать, до пределов моих возможностей. Я не думаю, что способна переработать его еще глубже. Насколько я понимаю, у вас есть копия.

— Есть. Переработанное до пределов возможностей, говорите вы. Некоторые из нас сказали бы, что для еще одной переработки всегда есть место. Посмотрим. Не прочтете ли вы ваше заявление?

Она читает.

— Я писатель. Вы вправе думать, что я должна была бы сказать, что мое писательство в прошлом. Но я есть писатель или была писателем благодаря тем качествам, которые у меня есть или были. Я еще не перестала быть тем, кто я есть. На сегодня. По крайней мере, так я чувствую.

Я писатель, и я пишу то, что слышу. Я секретарь невидимого, один из многих секретарей за прошедшие века. Это мое призвание: секретарь-стенографист. Не мне расспрашивать, не мне судить о том, что дается мне. Я всего лишь записываю слова, а потом проверяю их, проверяю их уместность, чтобы убедиться, что расслышала правильно. Секретарь невидимого — это не мое выражение, спешу сообщить вам. Я позаимствовала его у секретаря более высокого ранга, у Чеслава Милоша, поэта, возможно, вам знакомого, которому это было надиктовано много лет назад[1].

Она делает паузу. Она ждет, что на этом месте ее прервут. «Надиктовано кем?» — ждет она во-

---

[1] *Чеслав Милош* (1911–2004) — польский поэт, лауреат Нобелевской премии (1980). В стихотворении «Секретари» он пишет: «Я всего лишь секретарь невидимого, которое надиктовывается мне и нескольким другим».

проса. И ответ у нее уже готов: «Высшими властями». Но ее не прерывают, ей не задают вопросов. Вместо этого их председатель показывает на нее карандашом.

— Продолжайте.

— Чтобы меня пропустили, я должна сделать заявление о своих приверженностях, — читает она. — Я отвечаю: у хорошего секретаря не должно быть приверженностей. Это не согласуется с его функцией. Секретарь просто должен быть готов, должен ждать вызова.

И опять она ждет вопроса: «Чьего вызова?» Но вопросы, похоже, ей не собираются задавать.

— Приверженности — препятствия, помехи моей работе. Я хочу избавиться от всех препятствий.

— Без приверженностей мы не люди.

Это говорит тот из них, кто сидит крайним слева. Она про себя нарекла его Грималкином[1]. Это сморщенный человечек, такой низкорослый, что его едва видно из-за стола. Вообще-то почти в каждом из них есть какая-то удручающе комическая черта. «Избыточная литературность, — думает она. — Судебная коллегия в представлении карикатуриста».

— Без приверженностей мы не люди, — повторяет он. — Что вы скажете на это, Элизабет Костелло?

Она вздыхает.

— Конечно, джентльмены, я не утверждаю, что вообще лишена каких-либо приверженностей. У меня есть то, что я называю мнения и предрас-

[1] Волшебный кот, существо шотландского фольклора.

судки, они по-своему не очень отличаются от того, что все называют приверженностями. Когда я заявляю о себе как о секретаре, свободном от приверженностей, я имею в виду себя идеальную, способную отречься от мнений и предрассудков, пока через мое «я» проходит слово, которое я должна передать.

— Отрицательная способность[1], — говорит человечек. — Вы имеете в виду отрицательную способность, вы заявляете, что владеете этим качеством?

— Да, если вам так угодно. Говоря иными словами, у меня есть приверженности, но я к ним не привержена. Они не настолько важны, чтобы быть к ним приверженной. Мое сердце к ним не лежит. Мое сердце и мое чувство долга.

Человечек вытягивает губы. Его сосед поворачивает голову, смотрит на него (она может поклясться, что слышит шорох перьев).

— И какое, по-вашему, влияние оказывает отсутствие у вас приверженностей на вашу человеческую природу? — спрашивает человечек.

— На мою человеческую природу? Разве тут есть какие-то причинно-следственные связи? То, что я предлагаю моим читателям, тот вклад, ко-

---

[1] Выражение «отрицательная способность» впервые было использовано Джоном Китсом в 1817 году для характеристики способности выдающихся писателей (в первую очередь Шекспира) следовать за видением красоты, явленной художнику, даже в тех случаях, если это приводит в интеллектуальный тупик и к неопределенности. Этот термин использовался поэтами и философами для описания способности личности воспринимать, думать и действовать за рамками всяких допущений об ограниченности способностей человеческого существа.

торый я делаю в их человеческую природу, я надеюсь, перевешивает мою собственную пустоту в этом отношении.

— Ваш собственный цинизм, хотите сказать вы.

Цинизм. Она не любит это слово, но в данном случае готова его принять. Если повезет, то в последний раз. Если повезет, ей не придется больше оправдываться и давать обещания, сопутствующие оправданиям.

— Что касается отношения к себе, тут я вполне могу быть цинична в техническом смысле. Я не могу допустить собственного слишком серьезного отношения к себе. Но что касается других людей, что касается человека и человечества, то нет, тут я ничуть не цинична.

— Значит, вы не неверующая, — говорит человек в середине.

— Нет. Неверие есть приверженность. Я недоверчивая, если вы примете такое различие, хотя иногда мне кажется, что недоверие тоже превращается в кредо.

Ненадолго воцаряется молчание.

— Продолжайте, — говорит человек. — Мы слушаем ваше заявление.

— Это все. Не осталось ничего, чего бы я не объяснила. Я закончила изложение сути дела.

— И суть дела сводится к тому, что вы секретарь. Невидимого.

— И к тому, что я не могу позволить себе приверженностей.

— По профессиональным причинам.

— По профессиональным причинам.

— А что если невидимое не считает вас своим секретарем? Что если ваше назначение было давно отозвано, а извещение до вас не дошло? Что если вы вообще никогда не были назначены? Вы не рассматривали такую возможность?

— Я рассматриваю ее каждый день. Я вынуждена ее рассматривать. Если я не то, что я говорю, то я мошенница. Если вы собираетесь своим вердиктом объявить меня секретарем-мошенницей, то я могу только склонить голову и принять ваше решение. Я полагаю, вы приняли во внимание мою репутацию, заработанную всей моей жизнью. Если поступать по справедливости, то мою репутацию нельзя игнорировать.

— А что насчет детей?

Голос надтреснутый и хрипловатый. Поначалу она не понимает, кому он принадлежит. Неужели это номер восемь, человек с пухлыми, обвислыми щеками и румянцем на щеках?

— Насчет детей? Не понимаю.

— А что насчет тасманийцев? — продолжает он. — Что насчет судьбы тасманийцев?

Тасманийцев? Неужели, пока она здесь находится, в Тасмании что-то случилось?

— У меня нет никакого особого мнения о тасманийцах, — осторожно отвечает она. — Я всегда считала их абсолютно достойными людьми.

Он нетерпеливо отмахивается от ее слов.

— Я имею в виду древних тасманийцев — тех, кого уничтожили. У вас есть о них какое-то особое мнение?

— Вы спрашиваете, дошли ли до меня их голоса? Нет, пока еще не дошли. Может быть, с их точки зрения, я для этого недостаточно хороша? Они, вероятно, хотели бы иметь собственного секретаря, из своих, на что у них, несомненно, есть право.

Она слышит раздражение в собственном голосе. Чем она тут вообще занята — объясняется с компанией стариков, они вполне могут быть провинциальными итальянцами или провинциальными австро-венграми, которые почему-то имеют право ее судить. Почему она с этим мирится? И что вообще они знают о Тасмании?

— Я ничего не говорил о голосах, — говорит старик. — Я спросил вас о ваших мыслях.

Ее мысли о Тасмании? Если она пребывает в недоумении, то и члены коллегии тоже, а потому задавший вопрос вынужден им объяснять.

— Имеют место жестокости, — говорит он. — Насилие над невинными детьми. Уничтожение целых народов. Что она думает о таких вещах? Неужели у нее нет никаких приверженностей, которыми бы она могла руководствоваться?

Уничтожение древних тасманийцев ее соотечественниками. Неужели из-за этого весь сегодняшний сыр-бор — вопрос исторической вины?

Она делает глубокий вдох.

— Есть вещи, о которых люди говорят, а есть вещи, о которых лучше промолчать, даже перед трибуналом, даже перед верховным трибуналом, если вы и есть верховный трибунал. Я знаю, о чем вы говорите, и я отвечаю только: если из того, что я говорила ранее, вы делаете вывод, будто я не помню о таких вещах, то вы ошибаетесь, безусловно, ошибаетесь. Позвольте мне добавить, чтобы вы знали: приверженности — не единственная этическая опора, какая у нас есть. Мы в такой же мере можем полагаться и на наши сердца. Это все. Больше мне нечего сказать.

Неуважение к суду. Она на грани неуважения к суду. Ей всегда не нравилось это качество в самой себе: склонность вспыхивать как порох.

— Но как писатель? Вы сегодня представляете себя не в личном качестве, а как особый случай, особая судьба, писатель, который писал, чтобы не только развлечь публику, но и исследовать сложности человеческого поведения. В этих книгах вы выносите одно суждение за другим, видимо, так оно и должно быть. Чем вы руководствуетесь в ваших суждениях? Настаиваете ли вы на том, что вам это подсказывает сердце? Неужели у вас нет приверженностей как у писателя? Если писатель — это человеческое существо с человеческим сердцем, то что такого особенного в вашем случае?

А он не глуп. Не свинья в атласной мантии, не porcus magistralis[1] с карикатур Гранвиля. Не чаепитие Болванщика. Она в первый раз за этот день чувствует, что ее испытывают. Ну что ж, прекрасно, прекрасно, посмотрим, с чем она выйдет из этого испытания.

— Аборигены Тасмании сегодня принадлежат невидимым — тем невидимым, у которых я секретарствую, будучи у них далеко не единственной. Каждое утро я сажусь за стол и готовлюсь к вызовам дня. Таков образ жизни секретаря и мой. Когда древние тасманийцы позовут меня, если они решат меня позвать, я буду готова и напишу о них в меру моих способностей.

Подобным же образом и дети, если уж вы сказали о нарушениях их прав. Дети еще не позвали меня, но, опять же, могу сказать, что я готова.

---

[1] Свинья-наставник (*лат.*).

Хочу, однако, предостеречь вас. Я открыта всем голосам, а не только голосам тех, кого убили, над кем совершили насилие. — Она пытается говорить в этот момент ровным голосом, пытается не дать им того, что называется криминалистическими уликами. — Если же меня решат позвать их убийцы и насильники, решат использовать меня, высказаться моим посредством, то я и для них не замкну уши — я им не судья.

— Вы будете говорить от имени убийц?

— Буду.

— Вы не делаете различий между убийцей и его жертвой? Значит, вот что такое быть секретарем — записывать что угодно, все, что вам скажут? Утратить совесть?

Она понимает, что загнана в угол. Но какое имеет значение, загнана ты в угол или нет, если с каждой минутой ты чувствуешь, что конец этого соревнования по риторике — а именно соревнованием ей и представляется происходящее — все ближе и ближе.

— Вы думаете, виновные тоже не страдают? — говорит она. — Вы думаете, они не молят о сострадании из своих костров? «Не оставь меня!» — вот что кричат они. Какую нужно иметь совесть, чтобы не слышать этого крика нравственной муки?

— А эти голоса, которые молят вас, — говорит пухлощекий, — вы не спрашиваете, откуда они доносятся до вас?

— Нет. Если они говорят правду.

— И вы — вы, сверяющаяся только со своим сердцем, можете судить, правду они говорят или нет?

Она нетерпеливо кивает. Это похоже на допрос Жанны Д'Арк, думает она. «Как ты узнаешь, откуда эти голоса доносятся до тебя?» Ей невыносима литературность происходящего. Неужели у них не хватает мозгов, чтобы придумать что-нибудь новое?

Наступает молчание.

— Продолжайте, — одобрительно говорит человек.

— Это все, — говорит она. — Вы спросили, я ответила.

— Вы привержены мысли, что эти слова исходят от Бога? Вы привержены Богу?

Привержена ли она Богу? Она предпочитает держаться на осторожной дистанции от этого вопроса. С какой стати, даже допуская, что Бог существует — уж что бы там ни значило это «существует», — его глубокий монархический сон должен быть тревожим снизу воплями «привержена — не привержена», словно это какой-то плебисцит?

— Это слишком интимный вопрос, — говорит она. — Мне нечего сказать.

— Здесь никого нет, кроме нас. Вы можете говорить совершенно свободно.

— Вы меня неправильно понимаете. Я хочу сказать, что Бог, по моему мнению, не отнесся бы положительно к такой презумпции — презумпции интимности. Поэтому я предпочитаю отпустить Бога на свободу. И надеюсь, что он отпустит на свободу меня.

Воцаряется молчание. У нее голова начинает болеть. Слишком много головокружительных абстракций, думает она, — природа ее остерегает.

Председатель оглядывает коллегию.

— Есть еще вопросы? — спрашивает он.

Вопросов нет.

Он обращается к ней:

— Мы свяжемся с вами в надлежащем порядке. По установленным каналам.

* * *

Она вернулась в общежитие, легла на койку. Она бы предпочла сидеть, но у койки приподнятые края, словно у подноса, — на таких не посидишь.

Она ненавидит эту жаркую, душную комнату, которую ей назначили домом. Она ненавидит этот запах, испытывает отвращение, прикасаясь к нечистому матрасу. И время здесь, кажется, течет медленнее, чем это привычно для нее, в особенности в середине дня. Как давно она здесь? Она потеряла счет времени. Ей кажется, что прошли недели, даже месяцы.

На площади ближе к вечеру, когда спадает жара, появляется оркестр. Музыканты в крахмальных белых одеждах, в фуражках, с изобилием золотой тесьмы, играют с нарядных подмостков марши Сузы[1], вальсы Штрауса, популярные песни: «Il pipistrello»[2], «Sorrento». У дирижера акку-

[1] *Джон Филип Суза* (1854–1932) — американский композитор и дирижер духовых оркестров, автор знаменитого марша «The Stars and Stripes Forever» («Звезды и полосы навсегда») — патриотического американского марша, считающегося лучшим произведением Сузы. Актом Конгресса этот марш объявлен национальным маршем США.

[2] «Летучая мышь», песня итальянского композитора и дирижера Никола Де Джиоза (1819–1885).

ратные длинные, тонкие усики провинциального Лотарио[1]. После каждой вещи он улыбается и кланяется на аплодисменты, а жирный толстяк, играющий на тубе, снимает фуражку и отирает лоб алым носовым платком.

Именно этого и следовало ожидать в каком-нибудь захудалом городке на австрийско-итальянской границе в 1912 году, думает она. Все это со страниц романа, точно так же, как со страниц романа и барак с соломенными матрасами и тусклыми лампочками, и комедия с заседанием суда вплоть до сонливого бейлифа. Неужели вся эта постановка специально для нее, потому что она писатель? Неужели кто-то считает, что таким должен быть ад для писателя или по меньшей мере чистилище — чистилище многочисленных клише? В любом случае она должна бы сейчас находиться на площади, а не здесь, не в бараке. Она могла бы сидеть за одним из столиков в тени, среди шепчущихся любовников, со стаканом какого-нибудь холодного напитка в ожидании первого прикосновения ветерка к щеке. Обыденность среди обыденностей, у нее нет сомнений, но какое теперь это может иметь значение? Какое может иметь значение то, что счастье молодых пар на площади — притворное счастье, что скука часового — притворная скука, что фальшивые ноты, извлекаемые корнетистом в верхнем регистре, — притворные? Такой и была жизнь с того момента, когда она прибыла в это место: тщательный продуманный набор согласованных между собой обыденностей, включая колымагу-автобус с над-

---

[1] Персонаж главы «о Безрассудно-любопытном» из «Дон Кихота».

рывающимся двигателем и чемоданами, пристегнутыми ремнями на крыше, включая и сами врата с их огромными гвоздями с выпуклыми головками. Почему бы ей не выйти и не сыграть свою роль, роль путешественницы, заброшенной в городок, который ее не суждено покинуть?

Но даже сейчас, когда она бездельничает в бараке, кто может сказать, что она не играет какую-то роль? Почему она должна думать, что только она может воздержаться от участия в этой постановке? И в чем вообще заключается настоящее упрямство, настоящая твердость характера, если не в том, чтобы доиграть свою роль до конца, невзирая ни на что? Пусть оркестр врежет танцевальную мелодию, пусть влюбленные поклонятся друг другу и выйдут на танцевальную площадку, и там, среди танцующих, пусть она, Элизабет Костелло, старый, опытный лицедей в неподходящем платье, кружится с ними, ее движения скованны, но не лишены изящества. А если и это клише — *быть профессионалом, играть свою роль*, — то пусть оно и будет клише. Почему она должна чураться клише, когда все остальные, кажется, в ладу с ними, живут по ним?

То же самое и с приверженностями. *Я привержена неугомонному человеческому духу* — вот что должна была она сказать судьям. Услышав эти слова, они бы пропустили ее, аплодируя и одобрительно топая. *Я привержена мысли, что все человечество едино*. Все остальные, кажется, привержены именно этому. Даже она сама время от времени привержена этому, в зависимости от настроения. Ну почему она хотя бы раз не может притвориться?

В мире ее молодости, потерянном и исчезнувшем теперь, встречались люди, которые все еще были привержены искусству или, по крайней мере, художнику, пытавшемуся идти по следам великих мастеров. И не важно, что бог потерпел неудачу вместе с социализмом: оставался такой ориентир, как Достоевский, оставались Рильке, Ван Гог с перевязанным ухом — воплощение страсти. Донесла ли она эту детскую веру до своей старости и дальше: веру в художника и его правду?

Если бы она подчинилась первому порыву, то сказала бы — нет. В ее книгах определенно не содержится веры в искусство. Теперь, когда с этим покончено, с писательским трудом длиною в жизнь, она может оглянуться, и ей хватит уравновешенности, думает она, даже хладнокровия, чтобы не обмануться. Ее книги ничему не учат, ничего не проповедуют; они просто рассказывают, в силу своих возможностей, с доступной им степенью ясности, как жили люди в определенное время и в определенном месте. Если выразиться скромнее, они рассказывают о том, как жил один человек из миллиардов; человек, которого она про себя называет «она», а другие — Элизабет Костелло. Если в конечном счете она привержена своим книгам больше, чем верит в эту личность, то это приверженность лишь в том смысле, в каком плотник привержен устойчивому столу, а бочар — крепкой бочке. Она привержена мысли, что ее книги сложены лучше, чем она.

По перемене в воздухе, перемене, которая заметна даже в застойной атмосфере барака, она понимает, что солнце клонится к закату. Еще один день прошел зря. Она не танцевала на площади, она не поработала над своим заявлением, просто размышляла, попусту тратила время.

В маленькой, убогой умывальне в конце барака она освежается, насколько это позволяют условия. Она возвращается и видит новенькую — женщину моложе, чем она, женщина лежит на койке с закрытыми глазами. Она видела ее прежде, на площади, в обществе человека в белой соломенной шляпе. Она решила, что женщина местная. Но очевидно, что и она просительница.

Не первый раз приходит ей в голову вопрос: «Не это ли и есть мы, все мы — просители, ждущие решения по своим делам, некоторые новенькие, а некоторые (те, кого я называю местными) провели здесь достаточно времени, чтобы обосноваться, устроиться, стать частью декораций?»

В этой женщине, лежащей на койке, есть что-то знакомое, только она не может понять что. Даже когда она увидела ее впервые на площади, женщина показалась ей знакомой. Но и в самой площади с первого взгляда было что-то знакомое, в самом городе. Ее словно перенесли в декорации смутно запомнившегося фильма. Например, польская уборщица, если только она и в самом деле полька; где Элизабет видела ее прежде, и почему эта женщина ассоциируется у нее с поэзией? Может быть, эта молодая женщина тоже поэт? Может быть, вот куда она попала: не столько в чистилище, сколько в литературный тематический парк, созданный, чтобы отвлечь ее в ожидании, парк, где актеры изображают писателей? Но если так, то почему грим такой жалкий? Почему все это не сделано лучше?

Именно это, в конечном счете, и делает городок таким зловещим, или делало бы, если бы жизнь не текла здесь так неторопливо: несоответствие между актерами и ролями, которые они играют, между миром, который ей позволено видеть, и тем, что́ этот мир символизирует. Если жизнь после смерти (если то, что она видит, и есть такая жизнь, то дадим ей пока это название)... если жизнь после смерти оказывается всего лишь фокусом, имитацией с начала и до конца, то почему эта имитация раз за разом разоблачает себя и не на чуточку (это бы еще можно простить), а на всю катушку?

То же самое и с Кафкой. Стена, врата, часовой — все это прямо из Кафки. Как и требование исповедания, как и зал суда с сонливым бейлифом и коллегией стариков в черных мантиях, которые делают вид, что слушают, пока она бьется в силках собственных слов. Кафка, но только самый поверхностный Кафка; Кафка сведенный и уплощенный до пародии.

И почему ей предлагают именно Кафку? Она не поклонница Кафки. По большей части, она не может читать его без раздражения. Она весьма часто находит его (или по крайней мере его «я» в образе К[1].) просто инфантильным, когда он мечется между беспомощностью и похотью, между неистовством и раболепием. Так почему же mise en scène, в которую ее зашвырнули, такая — ей не нравится слово, но другого нет — кафкианская?

Один из ответов, который приходит ей в голову, состоит в том, что шоу лепится таким образом, потому что это не ее шоу. «Ты не любишь кафкианство, так вот тебе». Может быть, приграничные городки для этого и предназначены: преподавать уроки пилигримам. Прекрасно; но зачем подчи-

---

[1] Имеется в виду персонаж романа Кафки «Процесс»: «прокурист» Иозеф К.

няться этому уроку? Зачем принимать его так серьезно? Что могут с ней сделать эти так называемые судьи, кроме как не пускать и не пускать ее, день за днем? А сами врата, которые стоят на ее пути: она видела свет, который за ними. Да, там свет, но не тот свет, который видел в раю Данте, этот свет против того не выдерживает никакого сравнения. Если они не собираются пропускать ее, что ж, тогда basta, пусть не пропускают. Пусть остаток жизни, так сказать, она проведет здесь, пусть она бездельничает днем на площади, а к вечеру уходит, чтобы лечь на кровать, пропитанную запахом чужого пота. Не худшая из судеб. Должны быть какие-то занятия, чтобы убивать время. Кто знает, она ведь даже может, если найдет пишущую машинку напрокат, вернуться к писательству.

* * *

Утро. Она за обычным столиком на тротуаре, пишет свое заявление, пытается найти новый подход. Если уж она хвастается тем, что она секретарь невидимого, то ей надо сосредоточиться, обратиться внутрь. Какой голос слышит она от невидимого сегодня?

Несколько секунд она слышит только медленный стук крови в ушах, и чувствует она тоже только одно: мягкое прикосновение солнца к коже. Есть одна вещь, которую ей не приходится выдумывать: это ее занемевшее, верное тело, которое каждый шаг ее жизни оставалось при ней, этот неловкий нежный зверь, которого ей вручили, сказав «присматривай за ним», эта тень, превращенная в плоть, стоящую, как медведь, на двух ногах и непрерывно омывающую себя изнутри кровью. Она не только находится в этом теле, в этой штуковине, которую она не смогла бы измыслить и за тысячу лет, настолько это не в ее силах, она еще умудряется каким-то образом и быть этим телом, и все эти люди вокруг нее на площади в это прекрасное утро тоже каким-то образом суть свои тела.

Каким-то образом... но каким? Как, черт возьми, могут тела не только сохраняться чистыми, используя кровь (*кровь!*), но и предаваться рефлексиям о тайне их существования, высказываться на этот счет и время от времени получать маленькие удовольствия? Может ли это сойти за приверженность — то свойство, которым она наделена и которое позволяет ей оставаться этим телом, хотя она и понятия не имеет, как все это работает? Удовлетворится ли коллегия судей, группа экспертов, трибунал, который требует, чтобы она открыла им свои приверженности, удовлетворятся ли они вот этим: «Я привержена мысли, что я существую? Я привержена мысли, что то, что стоит перед вами сейчас, есть я»? Или это будет слишком философично, слишком по-студенчески?

В «Одиссее» есть эпизод, от которого у нее всегда мороз подирает по коже. Одиссей спустился в царство мертвых, чтобы узнать свою судьбу у прорицателя Тиресия. Получив указания Тиресия, Одиссей вырывает мечом яму, перерезает горло лучшему своему барану, заполняет яму его кровью. Течет кровь, отовсюду слетаются бледные души умерших, жаждущие вкусить ее, но Одиссей отгоняет их мечом.

Яма, наполненная черной кровью, умирающий баран, человек на корточках, готовый при необходимости колоть и рубить, бледные души, неотличимые от мертвецов, — почему ее преследует эта сцена? Что говорит эта сцена о невидимом? Она стопроцентно верит в барана, барана, которого хозяин приволок в это страшное место. Баран — это не только идея, баран живой, хотя сейчас и умирает. Если она верит в барана, то верит ли она и в его кровь, в эту священную жидкость, липкую, темную, почти черную, вытекающую на землю, на которой ничего не вырастет? Лучший баран царя Итаки, как говорится в этой истории, но относятся к нему всего лишь как к мешку с кровью, который нужно проколоть, чтобы вылить его содержимое. Она может сделать то же самое здесь и сейчас, вскрыть себе вены и истечь кровью на тротуар, в водосток. Потому что в этом, в конечном счете, и есть смысл жизни — в способности умереть. Не к этому ли видению сводится ее вера: к видению барана и того, что происходит с бараном? Удовлетворятся ли они такой историей, ее голодные судьи?

Кто-то садится против нее. Она занята своими мыслями, она не поднимает головы.

— Вы работаете над вашей исповедью?

Это женщина из общежития, та, что с польским акцентом, та, которую она про себя называет капо. Сегодня утром на ней платье из хлопчатобумажной ткани с рисунком в цветочек, желто-зеленого цвета, несколько старомодное, с белым поясом. Платье идет ей, ее здоровым светлым волосам, ее загорелой коже, ее крепкому сложению. Она похожа на крестьянку во время страдной поры, выносливая, сильная.

— Нет, не над исповедью — это заявление о приверженностях. У меня просили заявление.

— Мы здесь называем это исповедью.

— Правда? Я бы не стала его так называть. По-английски не стала бы. Может быть, на латыни. Возможно, на итальянском.

Она не в первый раз спрашивает себя, почему это все, с кем она здесь сталкивается, говорят по-английски. Или она ошибается? Не говорят ли эти люди в самом деле на других языках, незнакомых ей, — польском, венгерском, вендском[1], — а их речь переводится для нее на английский, мгновенно и какими-то чудесными средствами? Или, если иначе, не является ли условием существования в этом месте требование ко всем говорить на одном языке, например на эсперанто, и не являются ли звуки, срывающиеся с ее губ, не английскими словами, хотя она ошибочно и считает их английскими, а словами на эсперанто, хотя эта женщина может думать, что это слова польские? Сама она, Элизабет Костелло, не помнит, чтобы она изучала эсперанто, но она может ошибаться, как ошибалась она во многом. Но почему тогда официанты здесь итальянцы? Или то, что ей кажется их итальянским, на самом деле просто эсперанто с итальянским акцентом и итальянскими жестами?

Мужчина и женщина за соседним столиком сцепились мизинцами. Они смеются, тащат один другого, упираются друг в друга лбами, перешептываются. Похоже, им не нужно писать исповедей. Но, возможно, они не актеры, не настоящие актеры, как эта польская женщина, или эта женщина, играющая польскую женщину; возможно,

[1] Название вымершего языка, на котором говорили славянские племена, обитавшие на территории нынешней Германии.

они всего лишь статисты, которым поручено делать то, что они делают каждый день своей жизни, изображать суету на площади, придавать ей подобие реальности, оживлять. Наверное, такая жизнь неплоха — жизнь статиста. Но по достижении определенного возраста тебя, вероятно, начинает одолевать беспокойство. По достижении определенного возраста жизнь статиста, вероятно, начинает казаться бесполезной тратой драгоценного времени.

— И что вы пишете в своей исповеди?

— То, что уже говорила: я не могу себе позволить приверженностей. Что, занимаясь тем, чем занимаюсь я, нужно отказаться от приверженностей. Приверженности — это потакание своим слабостям, роскошь. Они препятствие.

— В самом деле? Некоторые из нас сказали бы, что та роскошь, которую мы не можем себе позволить, это неверие.

Элизабет ждет продолжения.

— Неверие — рассматривать все варианты, хвататься за противоположности — это знак бездеятельной жизни, жизни в безделье, — развивает свою мысль женщина. — Большинству приходится выбирать. Только светлая[1] душа парит в воздухе. — Она подается поближе к Элизабет. — Позвольте мне предложить совет светлой душе. Они могут сколько угодно говорить, что им требуется ваша приверженность, но на самом деле их удовлетворит страсть. Продемонстрируйте им страсть, и они пропустят вас.

---

[1] Английское *light soul* здесь переводится как светлая душа, однако в данном контексте (как и в других) очевидна и другая коннотация слова *light* — «легкая».

— Страсть? — отвечает она. — Темная лошадка страсть? Я бы сказала, что страсть уводит в сторону от света, а не к нему. И тем не менее вы говорите, что здесь страсть принимается. Спасибо за информацию.

Говорит она насмешливым тоном, но ее собеседница не одергивает ее. Напротив, женщина усаживается поудобнее на стуле, кивает ей, чуть улыбается, словно приглашая напрашивающийся вопрос.

— Скажите, скольким из нас удается получить разрешение, пройти испытание, пройти за врата?

Женщина смеется, смеется тихим, странно привлекательным смехом. Где они пересекались прежде? Почему это так трудно — вспоминать, словно нащупываешь себе путь в тумане?

— Через какие врата? — говорит женщина. — Вы считаете, что есть только одни врата? — Она снова смеется, смех сотрясает ее тело продолжительной роскошной дрожью, подрагивают и ее тяжелые груди. — Вы курите? — спрашивает она. — Нет? Не возражаете, если я закурю?

Она достает сигарету из золотого портсигара, чиркает спичкой, затягивается. У нее мозолистая, широкая, крестьянская рука. Но ногти у нее чистые и аккуратно покрыты лаком. Кто она? «Только светлая душа парит в воздухе». Это похоже на цитату.

— Кто знает, чему мы привержены на самом деле, — говорит женщина. — Ведь наши приверженности скрыты здесь, в нашем сердце. — Она легонько ударяет себя по груди. — Скрыты даже от нас самих. Все эти комитеты интересуются вовсе не приверженностями. Они удовольствуются и одними последствиями — последствиями наличия у вас приверженностей. Покажите им, что у вас есть чувства, и они удовлетворятся.

— Что вы имеете в виду — комитеты?

— Комитеты экспертов. Мы называем их комитетами. А себя мы называем певчими птицами. Мы поем комитетам для их удовольствия.

— Я не участвую в шоу, — говорит она. — Я не тенор. — Сигаретный дым плывет ей в лицо, она машет рукой. — Я не могу изображать то, что вы называете страсти, если их нет. Не могу включать их и выключать. Если ваши комитеты не понимают этого...

Она пожимает плечами. Она собиралась сказать что-то о своем билете, о возврате ее билета. Но это было бы слишком серьезно, слишком литературно для такого мизерного случая.

Женщина гасит сигарету.

— Мне пора, — говорит она. — Нужно купить кое-что.

Она не говорит, что за покупки собирается сделать. Но ее, Элизабет Костелло (*имена здесь угасают*: но нет, ее имя не угасает, ничуть), поражает, какой пассивной она стала, какой нелюбопытной. Она бы тоже хотела купить кое-что. Кроме ее фантазии насчет печатной машинки, ей нужны крем для защиты лица от солнца, собственное мыло вместо жесткого карболового в умывальне. Да, она даже не делает попытки узнать, где здесь делают покупки.

Поражает ее и еще кое-что. У нее пропал аппетит. Со вчерашнего дня у нее осталось слабое послевкусие от лимонного мороженого и миндального печенья с кофе. Сегодня одна только мысль о еде вызывает у нее тошноту. Она чувствует неприятную тяжесть собственного тела, неприятную телесность.

Неужели новая карьера начинает привлекать ее — роль одного из тощих людей, маньяка в том, что касается соблюдения постов, художников голода? Проникнутся ли ее судьи жалостью к ней, если увидят, как она чахнет на глазах? Она видит себя тощей, как жердь, в зале судебных заседаний на скамье для публики в пятне солнечного света, пишущей свое задание — задание, которое никогда не будет закончено. «Упаси господи! — шепчет она себе под нос. — Слишком литературно, слишком литературно! Перед смертью я должна выйти отсюда!»

Словосочетание «светлая душа» возвращается к ней уже в сумерках, когда она прогуливается вдоль городской стены, смотрит, как ласточки на площади то устремляются вверх, то ныряют вниз. Светлая ли она душа, легкая ли? Что такое светлая, легкая душа? Она думает о мыльных пузырях, плавающих среди ласточек, они поднимаются в голубые небеса даже выше птиц. Не так ли представляет ее себе и эта женщина, чья работа — скрести полы и чистить туалеты (хотя она никогда не видела, чтобы та занималась подобными делами)? Ее жизнь по большинству стандартов определенно не была тяжелой, но и легкой ее не назовешь. Может быть, тихой, может быть, защищенной: жизнь в той стране, где ходят вверх ногами, удаленной от худших вывертов истории; но не обошедшейся и без стрессов, мягко говоря. Не следует ли ей отыскать эту женщину и вывести ее из заблуждения? Поймет ли та ее?

Она вздыхает и идет дальше. Как он прекрасен, этот мир, даже если он всего лишь имитация! По крайней мере, есть на что опереться.

* * *

Тот же зал судебных заседаний, тот же бейлиф, вот только коллегия судей («комитет» — нужно ей научиться называть его так) новая. Их теперь семеро — не девятеро, — и среди них одна женщина. И скамьи для публики теперь не пусты. У нее есть зритель, сторонник: уборщица сидит одна, на коленях у нее веревочная хозяйственная сумка.

— Элизабет Костелло, просительница, второе слушание, — нараспев произносит председатель сегодняшнего совета (старший судья? ведущий судья?). — Вы пересмотрели свое заявление, насколько мы понимаем. Прошу — мы вас слушаем.

Она выходит вперед.

— Чему я привержена, — читает она уверенным голосом, как декламирующий ребенок. — Я родилась в городе Мельбурне, но часть детства провела в сельском районе штата Виктория, в районе климатических крайностей: выжигающие всё засухи сменяются здесь ливневыми дождями, после которых в реках плавают тела утонувших животных. Так, по крайней мере, я это помню.

Когда вода сходила — я говорю о воде одной конкретной реки, называемой Дулганнон, — оставались акры земли, покрытой илом. По ночам вы слышали кваканье десятков тысяч маленьких лягушек, радующихся щедрости небес. В воздухе стоял их несмолкаемый гомон, не уступающий треску цикад в полдень.

Откуда они вдруг появляются — эти десятки тысяч лягушек? Ответ прост: они всегда там. В засушливый сезон они прячутся под землей, закапываются все глубже и глубже от жара солнца, пока каждая не создаст себе маленькую могилку. И в этих могилках они, так сказать, умирают. Частота сердцебиения у них замедляется, дыхание прекращается, они приобретают цвет ила. Ночи снова становятся беззвучными.

Беззвучными до следующего дождя, который словно разбивает тысячи гробовых крышек. В этих гробах начинают биться сердца, конечности, которые месяцами не знали движения, начинают подергиваться. Мертвые пробуждаются. По мере смягчения спекшегося ила, лягушки начинают выкапываться на поверхность, и вскоре их голоса снова начинают звучать в радостном ликовании под небесным сводом.

Извините мой язык. Я писатель. Или была писателем. Обычно я стараюсь не облачать в слова крайности воображения. Но сегодня, по такому случаю, я решила не скрывать ничего, обнажить все. Животворящий потоп, хор радостного кваканья, потом отступление воды и возвращение в могилу, потом засуха, которой, кажется, не будет конца, потом свежие дожди и воскрешение из мертвых — это история, которую я представляю вам прозрачно, без утаек.

Почему? Потому что сегодня я перед вами не как писатель, а как старуха, которая когда-то была ребенком, и я рассказываю вам то, что помню о дулганнонских заиленных отмелях моего детства и о лягушках, которые живут там, некоторые из них крошечные, как ноготь моего мизинца, это существа такие незначительные, такие далекие от ваших возвышенных мыслей, что вы ни от кого другого о них и не услышали бы. В моем рассказе, за многочисленные недостатки которого я прошу у вас прощения, жизненный цикл лягушек может показаться аллегорией, но для самих лягушек это не аллегория, это реальность, единственная реальность, которую они знают.

Каким идеям я привержена? Я привержена идее этих маленьких лягушек. Я не знаю, где я оказалась сегодня в моей старости и, возможно, на пороге смерти. Временами мне кажется, что это Италия, но я легко могу ошибаться, может быть, это совсем другое место. В городках Италии, насколько мне известно, нет врат (я не хочу в вашем присутствии использовать скромное слово «ворота»), проход через которые запрещен. Но Австралийский континент, на котором я, брыкаясь и визжа, родилась в мир, это реальность (пусть и далекая), Дулганнон и его илистые отмели — реальность, лягушки — реальность. Они существуют независимо от того, расскажу я вам о них или нет, привержена я их идее или нет.

Именно из-за безразличия тех маленьких лягушек к моей приверженности идее лягушек (они хотят от жизни только одного: поедать комаров и петь; их самцы — а поют по большей части именно они — поют не для того, чтобы в ночном воздухе звучала мелодия, это их форма ухаживания, за которое они рассчитывают получить награду в виде оргазма, его лягушачьей разновидности, и еще раз оргазма, и еще раз...). Именно из-за безразличия тех маленьких лягушек ко мне я и привержена идее лягушек. И вот почему сегодня в этой прискорбно скомканной и прискорбно литературной презентации, за которую я извиняюсь еще раз, я решила предложить вам себя без прикрас, toute nue[1], так сказать, и почти, как вы видите, без записей — вот почему я говорю с вами о лягушках. О лягушках, и о моей приверженности идее лягушек, и об отношениях между первым и вторым. Потому что все это существует.

Она замолкает. За ее спиной раздаются негромкие хлопки одной пары рук. Хлопки затихают, прекращаются. Именно она, уборщица, и подвигла ее на эту речь — этот поток слов, этот жалкий лепет, это смятение, эту *страсть*. Что ж, посмотрим, какую реакцию получает страсть.

Один из судей — тот, что сидит крайним справа, — подается вперед.

— Дулганнон, — говорит он. — Это река?

— Да, река. Она существует. И не маленькая. На большинстве карт вы ее увидите.

— И вы провели свое детство на Дулганноне?

Она молчит.

— Потому что здесь, в вашем деле, ничего не говорится о детстве на Дулганноне.

Она молчит.

— Скажите, миссис Костелло, детство на Дулганноне — это одна из ваших выдумок? Вместе с лягушками и дождем с небес?

— Река существует. Лягушки существуют. Я существую. Чего еще вы хотите?

Вопрос ей задает единственная женщина среди судей, стройная, с аккуратно уложенными серебряными волосами и в очках в серебряной оправе:

---

[1] Абсолютно обнаженной (*фр.*).

— Вы привержены идее жизни?

— Я привержена тому, что не дает себе труда быть приверженным мне.

Судья делает нетерпеливое движение рукой.

— Камень не привержен вам. Куст не привержен. Но вы решаете говорить с нами не о камнях и кустах, а о лягушках, для которых вы измышляете жизненную историю, по вашим же словам, в высшей степени аллегорическую. Эти ваши австралийские лягушки олицетворяют жизненный пафос, которому вы и привержены как рассказчик.

Это не вопрос, это фактически приговор. Принять ли ей его? *Она была привержена жизни*: готова ли она согласиться с тем, что таким и будет окончательное суждение о ней, ее эпитафия? Вся ее душа протестует: *Трюизм*! хочется крикнуть ей. — *Я достойна лучшего*! Но она сдерживается. Она здесь не для того, чтобы победить в споре, она здесь, чтобы получить пропуск на проход. Когда она пройдет, когда простится с этим местом, то, что она оставит после себя, даже если это только эпитафия, не будет иметь совершенно никакого значения.

— Если вам так нравится, — настороженно говорит она.

Судья, ее судья, отворачивается, вытягивает губы. Наступает долгая пауза. Она прислушивается — не раздастся ли жужжание мухи — это то, что обычно и слышат в таких ситуациях, — но в зале суда, кажется, нет мух.

Верит ли она в жизнь? Если бы не этот нелепый трибунал и предъявляемые им требования, была бы она привержена идее лягушек? Откуда человеку знать, чему он привержен?

Она пытается провести тест, который вроде бы работает, когда она пишет: отправить слово во тьму и услышать, какого рода звук вернется. Так литейщик проверяет колокол — ударяет по нему и слушает, расколотый он или цельный. Лягушки — какой отзвук дают лягушки?

Ответ: никакого. Но она достаточно мудра, слишком хорошо знает дело, чтобы на данном этапе чувствовать разочарование. Дулганнонские лягушки для нее новое направление. Нужно дать им время — возможно, ей удастся заставить их звучать правдоподобно. Потому что в них есть что-то смутно привлекательное для нее, что-то в их илистых могилах и пальцах на их руках, пальцах, которые кончаются маленькими шариками, мягкими, влажными, ослизлыми.

Она думает о лягушке под землей, распростертой, словно в полете, словно спускающейся на парашюте сквозь тьму. Она думает об иле, который поедает кончики этих пальцев, пытается поглотить их, растворить мягкую ткань, чтобы никто уже не мог сказать (и, уж конечно, не сама лягушка, пребывающая в холодном бесчувствии спячки), где кончается земля, а где начинается плоть. Да, она может проникнуться приверженностью этой мысли: растворение, возврат к первооснове; и момент преображения тоже может стать объектом ее приверженности, тот момент, когда первая дрожь обретаемой вновь жизни проходит по телу, конечности подергиваются, пальцы. Она может быть привержена этому, если хорошо сосредоточится, если точно сформулирует.

— Тссс.

Это бейлиф. Он показывает на председателя суда, который в нетерпеливом ожидании смотрит на нее. Неужели она пребывала в трансе или даже уснула? Неужели она уснула перед своими судьями? Ей нужно быть поосторожнее.

— Я возвращаю вас к вашему первому появлению в суде, когда вы обозначили свою профессию как «секретарь невидимого» и сделали следующее заявление: «У хорошего секретаря не должно быть приверженностей. Это не согласуется с его функцией». И немного спустя: «У меня есть приверженности, но я им не привержена».

На тех слушаниях вы вроде бы пренебрежительно отзывались о приверженностях, говорили, что они — препятствие для вашей профессии. Но на сегодняшних слушаниях вы утверждаете, что привержены идее лягушек, или, если точнее, аллегорическому смыслу лягушачьей жизни, если я правильно понял вами сказанное. И вот вам мой вопрос: вы изменили суть вашего первого прошения и нынешнее построили на другой основе? Вы отказываетесь от истории про секретаря и предлагаете новую, основанную на твердости вашей приверженности идее творения?

Неужели она изменила историю? Вопрос затруднительный, тут сомнений нет, и ей приходится сделать усилие, чтобы сконцентрироваться на нем. В зале суда душно, ее словно опоили, она не знает, сколько еще времени сможет выносить эти слушания. Больше всего ей хотелось бы сейчас положить голову на подушку и вздремнуть, пусть даже на грязную подушку в общежитии.

— Это как сказать, — отвечает она, пытаясь выиграть время, пытаясь подумать («Давай, давай, — говорит она себе, — от этого зависит твоя жизнь!»). — Вы спрашиваете, изменила ли я суть прошения. Но кто такая я, кто это мое «я», кто такой «вы»? Мы меняемся каждый день, но при этом остаемся самими собой. Но ни одно из моих «я», ни одно из ваших «вы» не основательнее других. Вы с таким же успехом могли бы спросить: какая Элизабет Костелло настоящая — та, которая сделала первое заявление, или та, которая сделала второе. Мой ответ: обе настоящие. Обе. И ни одна из них. *Я другая*. Простите меня за то, что использую здесь не свои слова, но лучше не скажешь[1]. Перед вами не тот человек. Не та Элизабет Костелло.

Так ли? Может быть, это и не правда, но определенно и не ложь. Она еще никогда прежде не чувствовала себя в такой степени не тем человеком.

Допрашивающий нетерпеливо отмахивается от ее слов.

— Я не прошу вас предъявить паспорт. Паспорта здесь не имеют силы, и вы наверняка это знаете. Я вам задаю вопрос: *вы*, имея в виду того человека, который стоит перед нами, это лицо,

---

[1] Элизабет имеет в виду известное изречение Артюра Рембо «Я другой». В оригинале это изречение имеет вид «Je est un autre» (именно глагол в третьем лице *est*, в нарушение французской грамматики, а не *suis*, глагол в первом лице, который должен стоять по правилам), поэтому адекватнее было бы и русский перевод сделать с ошибкой: «Я суть другой», при том что устаревшая глагольная форма «суть» применяется только с множественным числом подлежащего (правильно было бы «мы суть другие»). Дополнительный смысл изречению Рембо придает тот факт, что поэт был гомосексуалом.

подавшее прошение на проход, это лицо, которое находится здесь и ни в каком другом месте, вы говорите от своего имени?

— Да. Нет, категорически нет. Да и нет. И то, и другое.

Ее судья косит глаза на коллег — направо, налево. Ей это только кажется или на их лицах мелькнула улыбка и шепотком было произнесено слово? Какое слово? *Запуталась*?

Судья снова смотрит на нее.

— Спасибо. Это все. Мы свяжемся с вами в надлежащем порядке.

— Это все?

— На сегодня все.

— Я не запуталась.

— Да, вы не запутались. Но кто та «вы», которая не запуталась?

Они не умеют сдерживаться, эта ее коллегия судей, ее комитет. Поначалу они прыскают, как дети, потом, наплевав на всякое достоинство, разражаются хохотом.

* * *

Она идет по площади. По ее предположениям, сейчас около двенадцати часов дня. Народу на улице меньше обычного. У местных, наверное, сиеста. «Молодые люди в объятиях друг друга»[1]. Если бы я могла прожить жизнь заново, не без горечи говорит она себе, я бы прожила ее иначе. Получала бы больше удовольствий. Что мне за ра-

---

[1] Имеется в виду роман «Молодые люди в объятиях друг друга» канадской писательницы Джейн Рул (1931–2007), писавшей романы на лесбийскую тематику.

дость от прожитой жизни писателя теперь, когда она подходит к последнему испытанию?

Солнце палит безжалостно. Ей бы нужно надеть шляпку. Но ее шляпка в бараке, а при мысли о возвращении в это пространство без воздуха ей становится нехорошо.

Сцена в зале заседаний не оставляет ее, это унижение, этот стыд. Но странным образом она, несмотря на все это, остается очарованной лягушками. Судя по всему, сегодня она склонна к приверженности лягушкам. А чему она будет привержена завтра? Малькам? Кузнечикам? Она, видимо, выбирает объекты приверженности наобум. Они приходят к ней без предупреждения, удивляя ее и даже, невзирая на ее мрачное настроение, принося ей удовольствие.

Она постукивает по «лягушкам» ногтем. Звук, который возвращается к ней, чист, чист, как звон колокола.

Она постукивает по слову «приверженность». Что ей ответит «приверженность»? Работает ли ее тест с абстракциями?

Возвращающийся звук «приверженности» не столь чист, но все же чист достаточно. Сегодня, в это время, в этом месте она явно не лишена приверженностей. Да что говорить, теперь, когда она задумалась об этом, ей ясно, что она в определенном смысле живет согласно своим приверженностям. Если ничто не выбивает ее из колеи, ее разум словно переходит от одной приверженности к другой, замирает, балансирует, потом двигается дальше. Ей в голову приходит сценка — девочка пересекает ручей, этой сценке сопутствуют строки из Китса: «Снопы на голове несешь по шаткому бревну через поток»[1]. Она живет приверженностями, работает приверженностями, она — существо приверженностей. Какое облегчение! Не поспешить ли ей назад к ее судьям, пока они не сняли мантии (и пока она не передумала)?

Странно, почему суд, который выставляет себя поборником приверженностей, отказывается пропустить ее. Вероятно, они заслушивали прежде и других писателей, других неверящих верующих или верящих неверующих. Писатели не адвокаты, суд должен это учитывать, делать скидку на эксцентричность их заявлений. Но этот суд, конечно, исходит не из норм обычного права. Он даже исходит не из норм логики. Ее первое впечатление было правильным: это суд из Кафки или «Алисы в Стране чудес», суд парадокса. Последние должны стать первыми, а первые — последними. Или наоборот. Если бы можно было заранее гарантировать, что можно пройти слушания, рассказывая свои детские истории, проскочить со снопами на голове от одной приверженности к другой, от лягушек к камням, потом к летающим машинам с такой же легкостью, с какой женщина меняет шляпки (а это строка откуда?), то каждый проситель приходил бы с автобиографией, а стенографист суда только и записывал бы потоки свободных ассоциаций.

Она снова перед вратами, перед тем, что определенно является ее и только ее вратами, хотя они, вероятно, видны любому, кто даст себе труд посмотреть в их сторону. Они, как и всегда, закрыты, но дверь в привратницкую открыта, и внутри она видит привратника, хранителя, он, как обычно,

---

[1] Из стихотворения Джона Китса «Осень», перевод Маршака.

занят бумагами, которые чуть колышутся в струе воздуха из вентилятора.

— Еще один жаркий день, — замечает она.

— Мммм, — мычит он, не прерывая работы.

— Каждый раз проходя мимо, я вижу вас за работой, — продолжает она, стараясь сохранять спокойствие. — Вы тоже в некотором роде писатель. Что вы пишите?

— Отчеты. Вношу в них сведения на сегодняшний день.

— У меня только что состоялось второе слушание.

— Это хорошо.

— Я пела для моих судей. Сегодня я была певчей птицей. Вы пользуетесь таким выражением — певчая птица?

Он с отсутствующим видом отрицательно качает головой: нет.

— Она им, кажется, не очень понравилась — моя песня.

— Ммм.

— Я знаю, вы не судья, — говорит она. — И тем не менее, как по-вашему, есть у меня шанс пройти? И если я не пройду, если меня сочтут недостойной, я что — навечно останусь в этом месте?

Он пожимает плечами.

— У всех нас есть шанс.

Он так ни разу и не оторвал взгляда от своих бумаг. Есть ли в этом какой-то тайный смысл? Может быть, ему не хватает мужества посмотреть ей в глаза?

— Но в качестве писателя, — гнет свое она, — какой у меня есть шанс как у писателя, с моими особыми писательскими проблемами, особыми обязательствами?

Обязательства. Теперь, когда она произнесла это слово, она понимает, что вокруг него все и крутится.

Он снова пожимает плечами.

— Так кто же это может сказать? — говорит он. — Это дело комитетов.

— Но вы пишете отчеты — кого пропускают, кого нет. Вы в некотором роде должны знать.

Он не отвечает.

— Вы много видите таких, как я, людей в моей ситуации? — взволнованно продолжает она, теперь теряя контроль над собой, ненавидя себя за это. «В моей ситуации» — это что значит? В какой она ситуации? Ситуация человека, который не знает, что у него в голове?

Перед ее мысленным взором возникают врата, другая сторона врат, куда ее не пускают. На земле у врат, преграждая путь, лежит, вытянувшись, собака, старая собака, ее львиного цвета шкура вся в шрамах после многочисленных драк. Глаза пса закрыты, он отдыхает, дремлет. За ним нет ничего, только уходящая в бесконечность пустыня, только песок и камни. Это первое ее видение за долгое время, и она не доверяет ему, а в особенности не доверяет анаграмме GOD — DOG[1]. Слишком литературно, снова думает она. Будь она проклята, эта литература!

Человек за столом явно устал от вопросов. Он кладет перо, складывает руки, невозмутимо смотрит на нее.

— Постоянно, — говорит он. — Мы постоянно видим таких людей, как вы.

[1] Слова английской анаграммы — Собака-Бог.

В такие мгновения самый ничтожный предмет: собака, крыса, жук, засохшая яблоня, сбегающий с пригорка проселок, поросший мхом камень — значат для меня больше, чем ночь наслаждения, проведенная мной с самой прекрасной, самой страстной моей возлюбленной. Эти немые, а порой и неодушевленные создания отвечают мне такой осязаемой полнотой любви, что и вокруг них для моего растроганного взора уже нет ничего неживого. Мне кажется, что все, все, что есть, все хранящееся в моей памяти, все, чего ни касаются мои пусть даже самые сбивчивые мысли, — все это имеет какой-то смысл.

Гуго фон Гофманшталь
«Письмо лорда Кандоса
лорду Бэкону» (1902)[1]

---

[1] *«Письмо лорда Кандоса* (Чандоса)» — прозаическое произведение, новелла-мистификация Гуго фон Гофманшталя, написанная в 1902 в форме письма, датированного августом 1603 года, неким вымышленным писателем по имени лорд Филип Кандос философу и государственному деятелю Фрэнсису Бэкону (1561–1626), в котором говорится о языковом кризисе Кандоса.

Постскриптум

Письмо Элизабет, леди Кандос, Фрэнсису Бэкону

Дорогой и досточтимый сэр,

Вы уже получили письмо моего мужа Филипа от 22 августа. Не спрашивайте каким образом, но экземпляр этого письма попался мне на глаза, и теперь я добавляю свой голос к его. Боюсь, вы можете подумать, что мой муж написал это письмо в припадке безумия, в припадке, который уже прошел. Я пишу, чтобы сообщить вам: это не так. Все, о чем вы прочли в его письме, верно, кроме одного обстоятельства: ни один муж не может успешно скрывать от любящей жены такое сильнейшее умственное расстройство. Многие месяцы мне известно о недуге моего Филипа, и все эти месяцы я страдала с ним.

Как началось наше горе? Я помню, было время до его недуга, когда он смотрел как зачарованный на картины, изображающие сирен и дриад, жаждал войти в их обнаженные лоснящиеся тела. Но где в Уилтшире найдем мы сирену или дриаду, чтобы он мог попробовать? Волей-неволей я стала дриадой: это в меня он входил, когда ему хотелось войти в нее, это я чувствовала его слезы на моем плече, когда ему в очередной раз не удавалось найти ее во мне. «Но пройдет немного времени, и я научусь быть твоей дриадой, говорить с тобой на ее языке», — шептала я ему в темноте; но это не утешало его.

Временем недуга я называю настоящее время; и в обществе моего Филипа у меня тоже случаются моменты, когда душа и тело сливаются в одно, когда я готова разразиться речью на языках моих ангелов. «Мои восторги» — так я называю эти приступы очарования. Они охватывают меня — я пишу об этом, не краснея, время краснеть неподходящее — в объятиях моего мужа. Только он один и есть мой проводник; ни с кем другим я бы их не испытала. Он говорит со мной языком души и тела, говорит без слов; в меня, в душу и тело, вонзает он то, что из слов превратилось в мечи пламенные[1].

Мы родились не для того, чтобы жить так, сэр. *Мечи пламенные*, говорю я, вонзает в меня мой Филип, мечи, которые, как их ни мечи, не есть слова; но они не только не слова, но и не мечи пламенные. Это как поветрие — называть одну вещь другим именем (я пишу «как поветрие», едва удерживаясь, чтобы не написать «нашествие крыс», потому что крысы теперь повсюду вокруг нас). Как путник (молю вас, держите эту картину в уме), как путник, вхожу я на мельницу, темную и заброшенную, и чувствую вдруг, что доски пола прогнили от влаги, они прогибаются под моими ногами, и я падаю в быстрые воды, вращающие мельничные жернова; но я — он (путник на мельнице) и одновременно не он; это и не поветрие,

---

[1] Библейское выражение, см. Бытие 3:24: «И изгнал Адама, и поставил на востоке у сада Едемского Херувима и пламенный меч обращающийся, чтобы охранять путь к дереву жизни».

которое непрерывно поражает меня, и не нашествие крыс, и не мечи пламенные, а что-то другое. *Я его называю, но оно всегда не то, а что-то другое*. Возьмите слова, которые я пишу выше: *Мы родились не для того, чтобы жить так*. Только *радикальные души*, возможно, родились для того, чтобы жить так и там, где слова прогибаются под вашими ногами, как прогнившие доски (*как прогнившие доски*, повторяю я; я не могу удержаться, если хочу *донести* до вас мое и моего мужа отчаяние, я несу его, несу к вам).

Мы не можем жить так, ни он, ни я, ни вы, досточтимый сэр (потому что кто может быть уверен, что вследствие прочтения его письма, а если не его, то моего, вас не поразит зараза, которая и не зараза, а что-то еще, всегда что-то еще?). Возможно, наступят времена, когда такие *радикальные души*, о которых я пишу, смогут выдюживать свои недуги, но пока это время еще не наступило. Наступят времена, если только они вообще наступят, когда гиганты или, возможно, ангелы будут ходить по земле (я перестаю сдерживать себя, я устала, я уступаю фигурам речи, видите ли вы, сэр, насколько это передалось мне?, я называю это лихорадкой, когда не называю «мои восторги», лихорадка и восторги не одно и то же, но я в отчаянии оттого, что не умею объяснить их различие, хотя оно и ясно моему глазу, *мой глаз* — так я это называю, *мой внутренний глаз*, словно у меня внутри есть глаз, который проверяет слова одно за другим, когда они проходят мимо, словно солдаты на параде, *словно солдаты на параде*, говорю я).

Все есть аллегория, говорит мой Филип. Каждое существо — ключ ко всем другим существам.

Собака, которая сидит на солнышке и вылизывает себя, говорит он, сейчас собака, а через миг — сосуд откровения. И, возможно, он говорит правду, возможно по мысли Творца (*нашего Творца*, говорю я), там, где, словно мельничные колеса, крутимся мы, мы взаимопроникаем и взаимопроникаемся с тысячами собратьев по жизни. Но как, спрашиваю я вас, могу я жить с крысами, собаками и жуками, которые ползают по мне днем и ночью, тонут и задыхаются, чешутся на мне, щиплют меня, заставляя меня все глубже и глубже погружаться в откровение... как? *Мы не созданы для откровения*, хочу закричать я, *ни я, ни ты, мой Филип*, для откровения, от которого жжет глаза, как если смотришь на солнце.

Спасите меня, дорогой сэр, спасите моего мужа! Напишите! Скажите ему, что время еще не пришло, время гигантов, время ангелов. Скажите ему, что мы все еще живем во время блох. Слова более не доходят до него, они ударяются и разбиваются, словно (*словно*, говорю я), словно он защищен хрустальным щитом. Но про блох он поймет, блохи и жуки все еще преодолевают его щит, и крысы; и иногда я, его жена, да, милорд, иногда и я проникаю за этот щит. *Сущности бесконечности* — так он называет нас и говорит, что мы заставляем его содрогаться; я и вправду ощущала его содрогания, в агонии моих восторгов ощущала я их, ощущала с такой силой, что затрудняюсь сказать, чьи они были — мои или его.

«Ни латынь, — говорит мой Филип (я записала его слова), — ни латынь, ни английский, ни испанский, ни итальянский не вынесут слов моего откровения». Так оно и есть на самом деле, это понимаю даже я, его тень, когда бьюсь в моих восторгах. Но он все же пишет вам, как пишу вам и я, пишу вам, кто, как известно, лучше всех умеет выбирать слова, ставить их на свое место и строить свои суждения, как каменщик строит стену из кирпичей. Идя на дно, мы пишем о наших отдельных судьбах. Спасите нас.

Ваша покорная слуга
Элизабет К.
Сего 11 сентября,
в год Господа Бога нашего 1603

Благодарности

Первая версия Урока 1 появилась под названием «Что такое реализм?» в «Salmagundi» № 114–115 (1997).

Первая версия Урока 2 появилась как «Роман в Африке» в Непериодическом выпуске № 17 Таунсендского центра гуманитарных наук, Калифорнийский университет в Беркли, 1999. Шейх Хамиду Кейн цитируется с разрешения автора по Phanuel Akubueze Egejuru, «К африканской литературной независимости» («Гринвуд Пресс», Уэстпорт, 1980). Пол Зумтор цитируется по Introduction à la poésie orale с разрешения Éditions du Seuil.

Уроки 3 и 4 были опубликованы с ответами Питера Сингера, Марджори Гарбер, Уэнди Донигер и Барбары Сматс под названием «Жизни животных» («Принстон юниверсити пресс», 1999).

Первая версия Урока № 5 появилась в «Die Menschenwissenschaften in Afrika» / «Гуманитарные науки в Африке» (Сименс Стифтанг, Мюнхен, 2001).

Первая версия Урока № 6 появилась в «Salmagundi», №№ 137–138 (2003).

«Письмо Элизабет, леди Кандос» было опубликовано в «Интермеццо Пресс», Техас, 2002.

Оглавление

Литературно-художественное издание

ЛУЧШЕЕ ИЗ ЛУЧШЕГО.
КНИГИ ЛАУРЕАТОВ МИРОВЫХ ЛИТЕРАТУРНЫХ ПРЕМИЙ

Дж. М. Кутзее

ЭЛИЗАБЕТ КОСТЕЛЛО

Ответственный редактор *А. Зальнова*
Литературный редактор *И. Стефанович*
Младший редактор *М. Петрова*
Художественный редактор *А. Сауков*
Технический редактор *И. Гришина*
Компьютерная верстка *К. Смолин*
Корректор *Т. Остроумова*

ООО «Издательство «Эксмо»
123308, Москва, ул. Зорге, д. 1. Тел.: 8 (495) 411-68-86.
Home page: www.eksmo.ru E-mail: info@eksmo.ru
Өндіруші: «ЭКСМО» АҚБ Баспасы, 123308, Мәскеу, Ресей, Зорге көшесі, 1 үй.
Тел.: 8 (495) 411-68-86.
Home page: www.eksmo.ru E-mail: info@eksmo.ru.
Тауар белгісі: «Эксмо»
Интернет-магазин : www.book24.ru

Интернет-магазин : www.book24.kz
Интернет-дүкен : www.book24.kz
Импортёр в Республику Казахстан ТОО «РДЦ-Алматы».
Қазақстан Республикасындағы импорттаушы «РДЦ-Алматы» ЖШС.
Дистрибьютор и представитель по приему претензий на продукцию,
в Республике Казахстан: ТОО «РДЦ-Алматы»
Қазақстан Республикасында дистрибьютор және өнім бойынша арыз-талаптарды
қабылдаушының өкілі «РДЦ-Алматы» ЖШС,
Алматы қ., Домбровский көш., 3«а», литер Б, офис 1.
Тел.: 8 (727) 251-59-90/91/92; E-mail: RDC-Almaty@eksmo.kz
Өнімнің жарамдылық мерзімі шектелмеген.
Сертификация туралы ақпарат сайтта: www.eksmo.ru/certification
...дения о подтверждении соответствия издания согласно законодательству РФ
о техническом регулировании можно получить на сайте Издательства «Эксмо»
www.eksmo.ru/certification
Өндірген мемлекет: Ресей. Сертификация қарастырылмаған

Подписано в печать 21.02.2019. Формат 84×108 $^1/_{32}$.
Гарнитура «Newton». Печать офсетная. Усл. печ. л. 16,8.
Тираж 2000 экз. Заказ 1499/19.

Отпечатано в соответствии с предоставленными материалами
в ООО "ИПК Парето-Принт", 170546, Тверская область
Промышленная зона Боровлево-1, комплекс №3А
www.pareto-print.ru

ISBN 978-5-04-093414-0